조주기능사 필기시험문제

년도별
기출문제

2012년 제1회 조주기능사 필기시험 기출문제

분야		자격종목		수험번호		이름	

1. 다음 중 연속식 증류(patent still whisky)법으로 증류하는 위스키는?

　가. Irish whiskey　　나. Blended whisky

　다. Malt whisky　　라. Grain whisky

2. 바텐더가 bar에서 glass를 사용할 때 가장 먼저 체크하여야 할 사항은?

　가. glass의 가장자리 파손 여부

　나. glass의 청결여부

　다. glass의 재고 여부

　라. glass의 온도 여부

3. 민속주 도량형 중 「되」에 대한 설명으로 틀린 것은?

　가. 곡식이나 액체, 가루 등의 분량을 재는 것이다.

　나. 보통 정육면체 또는 직육면체로써 나무나 쇠로 만든다.

　다. 분량(1되)을 부피의 기준으로 하여 2분의 1을 1홉(合)이라고 한다.

　라. 1되는 약 1.8 리터 정도이다.

4. 칵테일 제조방법 중 셰이킹(shaking)이란?

　가. 재료를 셰이커(shaker)에 넣고 흔들어서 혼합하는 과정을 말한다.

　나. 칵테일 제조가 끝난 후에 장식하는 것을 말한다.

　다. 칵테일 제조가 끝난 후에 따르는 것을 말한다.

　라. 칵테일에 대한 향과 맛을 배합하는 것이다.

5. 아로마(aroma)에 대한 설명 중 틀린 것은?

　가. 포도의 품종에 따라 맡을 수 있는 와인의 첫 번째 냄새 또는 향기이다.

　나. 와인의 발효과정이나 숙성과정 중에 형성되는 여러 가지 복잡 다양한 향기를 말한다.

　다. 원료 자체에서 우러나오는 향기이다.

　라. 같은 포도품종이라도 토양의 성분, 기후, 재배조건에 따라 차이가 있다.

6. 샴페인 품종이 아닌 것은?

　가. 삐노 느와르(pinot noir)

　나. 삐노 뮈니에(pinot meunier)

　다. 샤르도네(chardonnay)

　라. 쎄미용(sémillon)

7. 드라이마티니(Dry martini)를 만드는 방법은?

　가. mix　　나. stir

　다. shake　　라. float

8. 칵테일에 대한 설명으로 틀린 것은?

　가. 식욕을 증진시키는 윤활유 역할을 한다.

　나. 감미를 포함시켜 아주 달게 만들어 마시기 쉬워야 한다.

　다. 식욕 증진과 동시에 마음을 자극하여 분위기를 만들어내야 한다.

　라. 제조 시 재료의 넣는 순서에 유의해야 한다.

9. Floating의 방법으로 글라스에 직접 제공하여야 할 칵테일은?

　가. Highball　　나. Gin fizz

　다. Pousse cafe　　라. Flip

10. 계량단위에 대한 설명 중 옳은 것은?

　가. 1dash는 1/30 ounce이며, 0.9 mL이다.

　나. 1 teaspoon은 1/8 ounce로 3.7 mL이다.

　다. 1 cL는 1/10 mL이다.

　라. 1 L는 32온스이며, 960 mL이다.

11. 약주, 탁주 제조에 사용되는 발효제가 아닌 것은?

　가. 누룩　　　　　나. 입국

　다. 조효소제　　　라. 유산균

12. 위스키(whisky)를 만드는 과정이 맞게 배열된 것은?

　가. mashing - fermentation - distillation - aging

　나. fermentation - mashing - distillation - aging

　다. aging - fermentation - distillation - mashing

　라. distillation - fermentation - mashing - aging

13. 오드비(eau-de-vie)와 관련 있는 것은?

　가. Tequila　　　나. Grappa

　다. Gin　　　　　라. Brandy

14. 칵테일 조주 시 술이나 부재료, 주스의 용량을 재는 기구로 스테인리스제가 많이 쓰이며, 삼각형 30 mL와 45 mL 컵이 등을 맞대고 있는 기구는?

　가. 스트레이너(strainer)

　나. 믹싱글라스(mixing glass)

　다. 지거(jigger)

　라. 스퀴저(squeezer)

15. 칵테일을 만들 때, 흔들거나 섞지 않고 글라스에 직접 얼음과 재료를 넣어 바-스푼이나 머들러로 휘저어 만드는 방법으로 적합한 칵테일은?

　가. 스쿠류 드라이버(screw driver)

　나. 스팅어(stinger)

　다. 마가리타(margarita)

　라. 싱가포르 슬링(Singapore sling)

16. 다음 중 양조주가 아닌 것은?

　가. 맥주(beer)　　　나. 와인(wine)

　다. 브랜디(brandy)　라. 풀케(pulque)

17. 다음 중 뜨거운 칵테일은?

　가. Irish coffee　　나. Pink lady

　다. Pina colada　　라. Manhattan

18. 발포성 와인의 이름이 잘못 연결된 것은?

　가. 스페인 - 까바(Cava)

　나. 독일 - 젝트(Sekt)

　다. 이탈리아 - 스푸만테(Spumante)

　라. 포르투갈 - 도세(Doce)

19. 음료류의 식품유형에 대한 설명으로 틀린 것은?

　가. 무향탄산음료 : 먹는 물에 식품 또는 식품첨가물(착향료 제외)등을 가한 후 탄산가스를 주입한 것을 말한다.

　나. 착향탄산음료 : 탄산음료에 식품첨가물(착향료)을 주입한 것을 말한다.

　다. 과실음료 : 농축과실즙(또는 과실분), 과실주스 등을 원료로 하여 가공한 것(과실즙 10% 이상)을 말한다.

　라. 유산균음료 : 유가공품 또는 식물성 원료를 효모로 발효시켜 가공(살균을 포함)한 것을 말한다.

20. 포도품종에 대한 설명으로 틀린 것은?

가. Syrah : 최근 호주의 대표품종으로 자리잡고 있으며, 호주에서는 Shiraz라고 부른다.

나. Gamay : 주로 레드 와인으로 사용되며, 과일향이 풍부한 와인이 된다.

다. Merlot : 보르도, 캘리포니아, 칠레 등에서 재배되며, 부드러운 맛이 난다.

라. Pinot noir : 보졸레에서 이 품종으로 정상급 레드와인을 만들고 있으며, 보졸레 누보에 사용된다.

21. 샴페인의 발명자는?

가. Bordeaux
나. Champagne
다. St. Emilion
라. Dom Perignon

22. 맥주용 보리의 조건이 아닌 것은?

가. 껍질이 얇아야 한다.

나. 담황색을 띄고 윤택이 있어야 한다.

다. 전분 함유량이 적어야 한다.

라. 수분 함유량 13% 이하로 잘 건조되어야 한다.

23. 제조 방법에 따른 술의 분류로 옳은 것은?

가. 발효주, 증류주, 추출주

나. 양조주, 증류주, 혼성주

다. 발효주, 칵테일, 에센스주

라. 양조주, 칵테일, 여과주

24. 장식으로 양파(cocktail onion)가 필요한 것은?

가. 마티니(martini)

나. 깁슨(gibson)

다. 좀비(zombie)

라. 다이퀴리(daiquiri)

25. Table wine으로 적합하지 않은 것은?

가. White wine
나. Red wine
다. Rose wine
라. Cream sherry

26. 비알코올성 음료의 분류방법에 해당되지 않는 것은?

가. 청량음료
나. 영양음료
다. 발포성음료
라. 기호음료

27. 비알코올성 음료에 대한 설명으로 틀린 것은?

가. Decaffeinated coffee는 caffein을 제거한 커피이다.

나. 아라비카종은 이디오피아가 원산지인 향미가 우수한 커피이다.

다. 에스프레소 커피는 고압의 수증기로 추출한 커피이다.

라. Cocoa는 카카오 열매의 과육을 말려 가공한 것이다.

28. 다음과 같은 재료를 사용하여 만드는 칵테일은?

「liquor + lemon juice + sugar + soda water」

가. Collins
나. Martini
다. Flip
라. Rickey

29. '단맛'이라는 의미의 프랑스어는?

가. trocken
나. blanc
다. cru
라. doux

30. 다음 중 나머지 셋과 성격이 다른 것은?

A. Cherry brandy
B. Peach brandy
C. Hennessy brandy
D. Apricot brandy

가. A　　　　　　　나. B
다. C　　　　　　　라. D

31. 주로 일품요리를 제공하며 매출을 증대시키고, 고객의 기호와 편의를 도모하기 위해 그날의 특별요리를 제공하는 레스토랑은?

가. 다이닝룸(dining room)

나. 그릴(grill)

다. 카페테리아(cafeteria)

라. 델리카트슨(delicatessen)

32. 다음 중 용량이 가장 작은 글라스는?

가. old fashioned glass　　나. highball glass

다. cocktail glass　　　　라. shot glass

33. 빈(bin)이 의미하는 것은?

가. 프랑스산 적포도주

나. 주류 저장소에 술병을 넣어 놓는 장소

다. 칵테일 조주 시 가장 기본이 되는 주재료

라. 글라스르 세척하여 담아 놓는 기구

34. 바텐더가 지켜야 할 사항이 아닌 것은?

가. 항상 고객의 입장에서 근무하며 고객을 공평히 대할 것

나. 업장에서 손님이 없을 시에도 서비스 자세를 바르게 유지 할 것

다. 고객의 취향에 맞추어 서비스 할 것

라. 고객끼리의 대화를 할 경우 적극적으로 대화에 참여할것

35. 음료를 서빙 할 때에 일반적으로 사용하는 비품이 아닌 것은?

가. napkin　　　　　나. coaster

다. serving tray　　　라. bar spoon

36. 조주 방법 중 "stirring"에 대한 설명으로 옳은 것은?

가. 칵테일을 차게 만들기 위해 믹싱글라스에 얼음을 넣고 바 스푼으로 휘저어 만드는 것

나. shaking으로는 얻을 수 없는 설탕을 첨가한 차가운 칵테일을 만드는 방법

다. 칵테일을 완성시킨 후 향기를 가미시키는 것

라. 글라스에 직접 재료를 넣어 만드는 방법

37. Squeezer에 대한 설명으로 옳은 것은?

가. Bar에서 사용하는 measure-cup의 일종이다.

나. Mixing glass를 대용할 때 쓴다.

다. Strainer가 없을 때 흔히 사용한다.

라. 과일즙을 낼 때 사용한다.

38. 다음 중 믹싱 글라스(Mixing glass)를 이용하여 만든 칵테일만으로 짝지어진 것은?

① Pink lady　　　　② Gibson
③ Stinger　　　　　④ Manhattan
⑤ Bacardi　　　　　⑥ Dry martini

가. ①, ②, ⑤　　　　나. ①, ④, ⑤
다. ②, ④, ⑥　　　　라. ①, ③, ⑥

39. 칵테일 레시피(recipe)를 보고 알 수 없는 것은?

가. 칵테일의 색깔　　　나. 칵테일의 분량

다. 칵테일의 성분　　　라. 칵테일의 판매량

40. measure cup에 대한 설명 중 틀린 것은?

가. 각종 주류의 용량을 측정한다.

나. 윗부분은 1 oz(30 mL)이다.

다. 아랫부분은 1.5 oz(45 mL)이다.

라. 병마개를 감쌀 때 쓰일 수 있다.

41. 재고 관리상 쓰이는 F. I. F.O란 용어의 뜻은?

가. 정기 구입　　　　나. 선입 선출

다. 임의 불출　　　　라. 후입 선출

42. 맥주의 보관 · 유통 시 주의할 사항이 아닌 것은?

가. 심한 진동을 가하지 않는다.

나. 너무 차게 하지 않는다.

다. 햇볕에 노출시키지 않는다.

라. 장기 보관 시 맥주와 공기가 접촉되게 한다.

43. 구매된 주류에 대한 저장관리의 원칙에 해당하지 않는 것은?

가. 적정 온도유지의 원칙

나. 품목별 분류저장의 원칙

다. 고가위주의 저장원칙

라. 선입선출의 원칙

44. 프론트 바(front bar)에 대한 설명으로 옳은 것은?

가. 주문과 서브가 이루어지는 고객들의 이용 장소로서 일반적으로 폭 40cm, 높이 120 cm가 표준이다.

나. 술과 잔을 전시하는 기능을 갖고 있다.

다. 술을 저장하는 창고이다.

라. 주문과 서브가 이루어지는 고객들의 이용 장소로서 일반적으로 폭 80 cm, 높이 150 cm가 표준이다.

45. 와인과 음식과의 조화가 제대로 이루어지지 않은 것은?

가. 식전 - dry sherry wine

나. 식후 - port wine

다. 생선 - sweet wine

라. 육류 - red wine

46. 계란, 설탕 등의 부재료가 사용되는 칵테일(cocktail)을 혼합할 때 사용하는 기구는?

가. shaker　　　　나. mixing glass

다. strainer　　　　라. muddler

47. Bock beer에 대한 설명으로 옳은 것은?

가. 알코올도수가 높은 흑맥주

나. 알코올도수가 낮은 담색 맥주

다. 이탈리아산 고급 흑맥주

라. 제조 12시간 내의 생맥주

48. 다음 중 백포도주의 보관온도로 가장 적합한 것은?

가. 14~18℃　　　　나. 12~16℃

다. 8~10℃　　　　라. 5~6℃

49. 애플 마티니(apple martini) 칵테일 원가비율을 20%에 맞추어 판매하고자 할 때, 재료비가 1,500원이라면 판매가(sales price)는?

가. 7,500원　　　　나. 8,500원

다. 9,000원　　　　라. 10,000원

50. 와인(wine)을 오픈(open)할 때 사용하는 기물로 적당한 것은?

가. corkscrew　　　　나. white napkin

다. ice tongs　　　　라. wine basket

51. As a rule, the dry wine is served (   ).

가. in the meat course   나. in the fish course

다. before dinner   라. after dinner

52. Which of the following is not correct in the blank?

· As a barman, you would suggest guests to have one more drink.
  Saying : (_____)

가. The same again, sir?

나. One for the road.

다. I have another waiting on ice for you.

라. Cheers, sir!

53. 아래는 무엇에 대한 설명인가?

· A fortified yellow or brown wine of Spanish origin with a distinctive nutty flavor.

가. Sherry   나. Rum

다. Vodka   라. Bloody Mary

54. 다음은 어떤 술에 대한 설명인가?

· It was created over 300 years ago by a Dutch chemist named Dr. Franciscus Sylvius.

가. Gin   나. Rum

다. Vodka   라. Tequila

55. Which of the following is made from grape?

가. Calvados   나. Rum

다. Gin   라. Brandy

56. 「실례했습니다.」의 표현과 관계가 먼 것은?

가. I'm sorry to have disturbed you.

나. I'm sorry to have troubled you.

다. I hope I didn't disturb you.

라. I'm Sorry I didn't interrupt you.

57. "Bring us (   ) round of beer." 에서 (   ) 안에 알맞은 것은?

가. each   나. another

다. every   라. all

58. "우리 호텔을 떠나십니까?"의 표현은?

가. Do you start our hotel?

나. Are you leave our hotel?

다. Are you leaving our hotel?

라. Do you go our hotel?

59. Which one is the most famous herb liqueur?

가. Baileys Irish cream

나. Benedictine D.O.M

다. Crème de cacao

라. Akvavit

60. 다른 보기들과 의미가 다른 것은 ?

A. May I take your order?
B. Are you ready to order?
C. What would you like, Sir?
D. How would you like, Sir?

가. A   나. B

다. C   라. D

정답 및 해설

| 2012년 제1회 조주기능사 필기시험 기출문제 |

1	2	3	4	5	6	7	8	9	10
라	가	다	가	나	라	나	나	다	나
11	12	13	14	15	16	17	18	19	20
라	가	라	다	가	다	가	라	라	라
21	22	23	24	25	26	27	28	29	30
라	다	나	나	라	다	라	가	라	다
31	32	33	34	35	36	37	38	39	40
나	라	나	라	라	가	라	다	라	라
41	42	43	44	45	46	47	48	49	50
나	라	다	가	다	가	가	다	가	가
51	52	53	54	55	56	57	58	59	60
다	라	가	가	라	라	나	다	나	라

1. 맥아 이외에 옥수수, 귀리, 호밀 등의 곡류를 이용하여 당화, 발효시킨 후, 파텐트 증류기(patent still)로 증류하여 얻어지는 위스키를 일반적으로 곡물(grain) 위스키라고 부른다.

2. Glass의 가장자리 파손 여부는 고객의 안전과도 연결되는 부분으로 바텐더는 가장 먼저 체크하여야할 사항이다.

3. 분량(1되)을 부피의 기준으로 단위 전환하면 10홉이 된다.

4. 칵테일을 조주할 때 얼음 덩어리와 주·부재료를 Shaker에 넣고 흔들어 배합하는 과정을 셰이킹(shaking)이라 한다.

5. 와인의 발효과정이나 숙성과정 중에 형성되는 여러 가지 복잡 다양한 향기는 부케(Bouquet)이다.

6. 쎄미용(sémillon)은 프랑스 보르도(Bordeaux)지방의 그라브(Graves), 쏘떼른느(Sauterne) 지역의 주품종으로 호주나 칠레 등지에서 재배되며, 특히 쏘비뇽 블랑(Sauvignon Blanc) 품종과 Blending되어 Dry White Wine을 만들거나 늦게 수확하여 당도가 높은 Sweet한 Wine을 만드는데 사용된다.

7. 드라이 마티니(Dry martini)는 Stir(스터)기법의 대표적인 칵테일이다.

8. 모든 칵테일이 감미를 포함시켜 아주 달게 만들지는 않는다.

9. Pousse cafe(푸스 카페)는 술의 비중을 이용하여 리큐르, 증류주, 시럽 등을 푸스 카페 글라스에 층층이 쌓아서 만드는 것을 말하며, 비중이 무거운 리큐르 종류를 아래쪽으로 가벼운 증류주를 위쪽으로 쌓는다.

10. 1dash(대시) 약 1mL/5~6방울, 1cL(센티리터)는 10mL, 1L는 1000mL이다.

11. 유산균은 당류에서 유산을 생성하는 균류의 총칭으로 약주, 탁주 제조에 사용되는 발효제가 아니다.

12. mashing(담금) - fermentation(발효) - distillation(증류) - aging(숙성)

13. 오드비(eau-de-vie) 불어로 "화주, 브랜디"의 뜻이며, 음료용어로 "Water of Life(생명수)"란 뜻이다.

14. 지거(jigger)란 칵테일을 만들 때 용량을 재는 기구로서 보통 30㎖(1oz), 45㎖(1.5oz)를 잴 수 있는 삼각형이 두 개 붙어 있다.

15. 스크류 드라이버(screw driver)는 빌드기법(흔들거나 섞지 않고 글라스에 직접 얼음과 재료를 넣어 바스푼이나 머들러로 휘저어 만드는 방법)으로 대표적인 칵테일이다.

16. 브랜디(brandy)란 과실을 발효시켜, 알코올이 7~8% 정도인 양조주를 증류기로 증류하여 저장한 증류주.

17. Irish coffee는 위스키를 베이스로 커피와 휘프드 크림으

로 만든 칵테일로 아일랜드 더블린공항 로비라운지에서 고객서비스 차원에서 추운 승객들에게 제공해 주던 칵테일이다.

18. 도세(Doce)란 포르투칼의 비 발포성 Sweet와인이다.

19. 유산균음료란 우유나 탈지유에 유산균을 섞어 유산 발효를 시켜 만든, 독특한 풍미와 새콤한 맛이 나는 음료로 통상적으로 가열 살균하지 않는다.

20. 피노누아르(Pinot Noir)란 프랑스 부르고뉴 지방이 원산지인 정통 최고급 적포도주를 만드는 포도 품종이며, 보졸레 누보(Beaujolais Nouveau)는 보졸레(Beaujolais) 지역에서 가메(Gamey) 품종으로 만든 와인이다.

21. 샴페인의 최초 발명자는 17세기 프랑스 베네딕트 수도사인 (Dom Perignon)돔 페리뇽이다.

22. 전분 함유량이 많아야 많은 알코올을 얻을 수가 있다. 그래서 양조용 보리는 2조 대맥을 사용한다.

23. 술의 분류는 양조주, 증류주, 혼성주로 분류된다.

24. 깁슨(gibson)은 양파(cocktail onion)로 장식(가니쉬)하는 대표적인 칵테일이다.

25. 테이블 와인(Table Wine: 식중 와인)은 식사 중에 메인이 되는 음식과 함께 곁들이는 와인을 의미하며 Cream sherry(크림 셰리)는 식후에 즐기는 디저트 와인이다.

26. 비알코올성 음료의 분류는 청량음료, 영양음료, 기호음료이다.

27. Cocoa 카카오 콩의 가공품으로 cacao콩으로부터 cocoa butter의 일부를 제거하고 분쇄한 것.

28. 「liquor + lemon juice + sugar + soda water」는 Collins 칵테일의 조주방법이다.

29. doux(두)란 형용사로 단, 단맛이 나는 뜻의 프랑스어이다.

30. Hennessy brandy란 브랜디의 상표명이다. 나머지는 브랜디에 과실을 함유하여 만든 혼성주이다.

31. 그릴(grill) 룸이라고 하면 그 호텔 내에서 최고급의 일품요리를 서비스하는 레스토랑이란 뜻으로 사용되고 있다.

32. shot glass는 30mL로 예문 중에 가장 작은 용량의 글라스이다.

33. 빈(bin)이란 주류 저장소에 술병을 넣어 놓는 장소를 의미한다.

34. 고객끼리의 대화를 할 경우 바텐더는 가급적 대화에 참여하지 않는 것이 올바르다.

35. bar spoon은 바텐더가 칵테일 조주시 사용되는 기구로 음료를 서빙 시에는 사용하지 않는다.

36. stirring(스터링)이란 칵테일을 차게 만들기 위해 믹싱글라스에 얼음을 넣고 바스푼으로 휘저어 만드는 바텐더의 테크닉중 한 기법이다.

37. 스퀴즈 [Squeezer]란 레몬, 오렌지 등 과실을 짜낼 때 사용하는 기구로서 글라스제품이나 스테인레스, 도기제품이 있다.

38. 믹싱 글라스(Mixing glass)를 이용하여 만드는 칵테일은 스터기법을 사용하는 Gibson, Manhattan, Dry martini이다.

39. 칵테일 레시피(recipe)로는 칵테일의 판매량까지 알 수는 없다.

40. 병마개를 감쌀 때 사용되는 것은 냅킨이다.

41. F. I. F. O란 선입선출(先入先出)(first-in, first-out)의 약어이다.

42. 보관 시 맥주가 공기와 접촉되어서는 안 된다.

43. 고가위주의 저장원칙은 주류 저장관리에 올바르지 않다. 주류저장관리 또한 F. I. F. O원칙에 따라야 한다.

44. 술을 저장하는 창고는 spirit room이라고 한다.

45. 생선-White Wine(생선류 및 수산물은 화이트와인과 조화가 좋다.)

46. shaker = 계란, 설탕, 크림등 다소 혼합하기 어려운 재료를 혼합할 때 사용되는 기구이다.

47. Bock Beer : 원맥 즙의 농도가 16 % 이상인 짙은 색의 맥주로서 향미가 짙고 단맛을 띤 강한 맥주이다. 독일어로 보크는 염소를 뜻한다. 이 맥주에 '보크'라는 이름이 붙게 된 것은 여러 가지 이유가 있다. 그 하나는 산지인 아인베크가 아인보크로 변했다는 것이고, 다른 하나는 이 맥주를 마시고 취해 쓰러진 사람을 염소에 받혀 쓰러졌다고 말한 데서 유래되었다고 한다.

48. 통상적인 백포도주의 보관온도는 8~10℃이다.

49. 재료비(1,500) ÷원가비율(20) × 100 = 판매가(7,500)

50. corkscrew = 포도주 병 따위의 코르크 마개를 뽑기 위한 도구.

51. As a rule, the dry wine is served before dinner(원칙적으로 드라이 와인은 식전에 제공된다.)

52. 괄호 안에 넣을 수 없는 것을 고르시오. Cheers, sir !는 문장의 흐름상 어울리지 않는다.

53. 스페인 강화주로 쉐리 와인에 대한 설명이다.

54. 네덜란드에서 300년 전에 실비우스 의사에 창시된 술은 Gin이다.

55. 브랜디는 포도를 원료로 만들어진 증류주이다.

56. I'm Sorry I didn't interrupt you.(나는 당신을 방해 하지 않았습니다.)

57. Bring us another round of beer. (맥주 한잔씩 더 주세요)

58. Are you leaving our hotel? (우리 호텔을 떠나십니까?)

59. 허브리큐어로 유명한 것은 Benedictine D. O. M이다. 1501년 프랑스 북부 페캉 지역의 베네딕틴 수도원에서 만들어진 베네딕틴은 프랑스에서 가장 오래된 리큐르 중 하나이다. 버나도 빈셀리 수도승이 연금술을 이용하여 약용식물과 향료를 혼합하여 만들었다. 민트, 아니카, 넛맥 등 약 27종의 약초와 허브를 주원료로 하여 만드는 리큐르로서 아직까지도 제조법이 극비에 부쳐져 있는 프랑스 최고의 리큐르이다.

60. A. B. C는 주문을 권하는 내용이며, D는 이미 주문된 부분을 세부적으로 묻는 질문이다.

2012년 제2회 조주기능사 필기시험 기출문제

분야		자격 종목		수험 번호		이름	

1. 보졸레누보 양조과정의 특징이 아닌 것은?

가. 기계수확을 한다.

나. 열매를 분리하지 않고 송이채 밀폐된 탱크에 집어넣는다.

다. 발효 중 CO_2의 영향을 받아 산도가 낮은 와인이 만들어진다.

라. 오랜 숙성 기간 없이 출하한다.

2. 텀블러 글라스에 dry gin 1 oz, lime juice 1/2 oz, 그리고 soda water로 채우고 레몬 슬라이스로 장식하여 제공되는 칵테일은?

가. Gin Fizz   나. Gimlet

다. Gin Ricky   라. Gibson

3. 다음 중 양조주에 해당하는 것은?

가. 청주(淸酒)   나. 럼주(rum)

다. 소주(soju)   라. 리큐르(liqueur)

4. Irish whiskey에 대한 설명으로 틀린 것은?

가. 깊고 진한 맛과 향을 지닌 몰트 위스키도 포함된다.

나. 피트훈연을 하지 않아 향이 깨끗하고 맛이 부드럽다.

다. 스카치 위스키와 제조과정이 동일하다.

라. John Jameson, Old Bushmills가 대표적이다.

5. 다음 칵테일 중 mixing glass를 사용하지 않는 것은?

가. Martini   나. Gin Fizz

다. Gibson   라. Rob Roy

6. 다음 중 rum의 원산지는?

가. 러시아

나. 카리브해 서인도제도

다. 북미지역

라. 아프리카지역

7. 화이트 포도 품종인 샤르도네만을 사용하여 만드는 샴페인은?

가. Blanc de Noirs   나. Blanc de Blancs

다. Asti Spumante   라. Beaujolais

8. 다음 중 칵테일 조주에 필요한 기구로 가장 거리가 먼 것은?

가. jigger   나. shaker

다. ice equipment   라. straw

9. 다음 중 연결이 틀린 것은?

가. 1 quart - 32 oz   나. 1 quart - 944 mL

다. 1 quart - 1/4 gallon   라. 1 quart - 25 pony

11

10. Sparkling wine과 관련이 없는 것은?

가. Champagne   나. Sekt

다. Cremant   라. Armagnac

11. 와인의 등급을 「AOC, VDQS, Vins De Pays, Vins De Table」로 구분하는 나라는?

가. 이탈리아   나. 스페인

다. 독일   라. 프랑스

12. 음료에 대한 설명이 잘못된 것은?

가. 칼린스믹서(Collins mixer)는 레몬주스와 설탕을 주원료로 만든 착향 탄산음료이다.

나. 토닉워터(tonic water)는 키니네(quinine)를 함유하고 있다.

다. 코코아(cocoa)는 코코넛(coconut)열매를 가공하여 가루로 만든 것이다.

라. 콜라(coke)는 콜라닌과 카페인을 함유하고 있다.

13. 다음 중 가장 많은 재료를 넣어 셰이킹 하는 칵테일은?

가. Manhattan   나. Apple martini

다. Gibson   라. Pink Lady

14. 다음에서 말하는 물을 의미하는 것은?

· 우리나라 고유의 술은 곡물과 누룩도 좋아야 하지만 특히 물이 좋아야 한다. 옛 부터 만물이 잠든 자정에 모든 오물이 다 가라앉는 맑고 깨끗한 물을 길러 술을 담갔다고 한다.

가. 우물물   나. 광천수

다. 암반수   라. 정화수

15. 샴페인의 "엑스트라 드라이 - extra dry"라는 문구는 잔여 당분 함유량을 가리키는 표현이다. 이 문구를 삽입하고자 할 때 병에 함유된 잔여 당분의 정도는?

가. 0~6 g/L   나. 6~12 g/L

다. 12~20 g/L   라. 20~50 g/L

16. 다음 중 코냑(cognac)의 증류가 끝나도록 규정되어진 때는?

가. 12월 31일   나. 2월 1일

다. 3월 31일   라. 5월 1일

17. 80 proof는 알코올 도수(%)로 얼마인가?

가. 10 %   나. 20 %

다. 30 %   라. 40 %

18. 혼성주의 제조 방법이 아닌 것은?

가. 양조법(fermentation)

나. 증류법(distillation)

다. 침출법(infusion)

라. 에센스 추출법(essence)

19. 조주기법(cocktail technique)에 관한 사항에 해당되지 않는 것은?

가. stirring   나. distilling

다. straining   라. chilling

20. 포트와인 양조 시 전통적으로 포도의 색과 탄닌을 빨리 추출하기 위해 포도를 넣고 발로 밟는 화강암 통은?

가. 라가르(lagar)

나. 마세라씨옹(maceration)

다. 찹탈리제이션(chaptalisation)

라. 캐스크(cask)

21. 와인생산지역 중 나머지 셋과 기후가 다른 지역은?

㉠ 지중해 지역
㉡ 캘리포니아 지역
㉢ 남아프리카공화국 남서부 지역
㉣ 아르헨티나 멘도자(Mendoza)지역

가. ㉠　　　　　　나. ㉡
다. ㉢　　　　　　라. ㉣

22. 다음 중 red wine용 포도 품종은?

가. cabernet sauvignon　　나. chardonnay
다. pinot blanc　　　　　라. sauvignon blanc

23. 프로스팅(frosting) 기법이 사용되지 않는 칵테일은?

가. Margarita　　　　　나. Kiss of Fire
다. Harvey Wallbanger　　라. Irish Coffee

24. Sidecar 칵테일을 만들 때 재료로 적당하지 않은 것은?

가. 테킬라　　　　　나. 브랜디
다. 화이트큐라소　　라. 레몬주스

25. 지봉유설에 전해오는 것으로 이것을 마시면 불로장생 한다 하여 장수주로 유명하며, 주로 찹쌀과 구기자, 고유약초로 만들어진 우리나라 고유의 술은?

가. 두견주　　　　　나. 백세주
다. 문배주　　　　　라. 이강주

26. 다음 중 sugar frost로 만드는 칵테일은?

가. Rob Roy　　　　나. Kiss of Fire
다. Margarita　　　라. Angel's Tip

27. 칵테일 조주 시 셰이킹(shaking)기법을 사용하는 재료로 가장 거리가 먼 것은?

가. 우유나 크림　　　나. 꿀이나 설탕시럽
다. 증류주와 소다수　라. 증류주와 계란

28. 다음 중에서 이탈리아 와인 키안티 클라시코(Chianti classico)와 관계가 가장 먼 것은?

가. Gallo nero　　　나. Piasco
다. Raffia　　　　　라. Barbaresco

29. 혼성주 특유의 향과 맛을 이루는 주재료가 아닌 것은 ?

가. 과일　　　　　나. 꽃
다. 천연향료　　　라. 곡물

30. 혼성주(compounded liquor)종류에 대한 설명이 틀린 것은?

가. 아드보카트(Advocaat)는 브랜디에 계란노른자와 설탕을 혼합하여 만들었다.
나. 드람브이(Drambuie)는 "사람을 만족시키는 음료" 라는 뜻을 가지고 있다.
다. 아르마냑(Armagnac)은 체리향을 혼합하여 만든 술이다.
라. 깔루아(Khalua)는 증류주에 커피를 혼합하여 만든 술이다.

31. 칵테일 글라스의 부위명칭으로 틀린 것은?

가. rim   나. face

다. body   라. bottom

32. 보조 웨이터의 설명으로 틀린 것은?

  가. Assistant waiter라고도 한다.

  나. 직무는 캡틴이나 웨이터의 지시에 따른다.

  다. 기물의 철거 및 교체, 테이블 정리·정돈을 한다.

  라. 재고조사(inventory)를 담당한다.

33. 다음 중 숙성기간이 가장 긴 브랜드의 표기는?

  가. 3 Star   나. V.S.O.P

  다. V.S.O   라. X.O

34. Liqueur glass의 다른 명칭은?

  가. shot glass   나. cordial glass

  다. sour glass   라. goblet

35. 주장 경영에 있어서 프라임 코스트(prime cost)는?

  가. 감가상각과 이자율

  나. 식음료 재료비와 인건비

  다. 임대비 등의 부동산관련 비용

  라. 초과근무수당

36. 바(bar) 의 종류에 의한 분류에 해당하지 않는 것은?

  가. jazz bar   나. back bar

  다. western bar   라. wine bar

37. 다음 중 aperitif의 특징이 아닌 것은?

  가. 식욕촉진용으로 사용되는 음료이다.

  나. 라틴어 aperire(open)에서 유래되었다.

  다. 약초계를 사용하기 때문에 쌉쌀한 향을 지니고 있다.

  라. 당분이 많이 함유된 단맛이 있는 술이다.

38. 셰이커(shaker)를 이용하여 만든 칵테일을 짝지은 것으로 옳은 것은?

  ① Pink Lady   ② Olympic

  ③ Stinger   ④ Seabreeze

  ⑤ Bacardi   ⑥ Kir

  가. ①, ②, ⑤   나. ①, ④, ⑤

  다. ②, ④, ⑥   라. ①, ③, ⑥

39. 다음 중 Angel's Kiss를 만들 때 사용하는 것은?

  가. shaker   나. Mixing glass

  다. blender   라. bar spoon

40. Port wine을 가장 옳게 표현한 것은?

  가. 항구에서 막노동을 하는 선원들이 즐겨 찾는 적포도주

  나. 적포도주의 총칭

  다. 스페인에서 생산되는 식탁용 드라이(dry) 포도주

  라. 포르투갈에서 생산되는 감미(sweet) 포도주

41. 생맥주 취급의 기본원칙 중 틀린 것은?

　가. 적정온도준수　　　나. 후입선출

　다. 적정압력유지　　　라. 청결유지

42. Corkage charge의 의미는?

　가. 고객이 다른 곳에서 구입한 주류를 바(bar)
　　에 가져와서 마실 때 부과되는 요금

　나. 고객이 술을 보관할 때 지불하는 보관 요금

　다. 고객이 bottle 주문시 따라 나오는 soft drink
　　의 요금

　라. 적극적인 고객 유치를 위한 판촉 비용

43. 주류의 용량을 측정하기 위한 기구는?

　가. jigger glass　　　나. mixingglass

　다. straw　　　　　라. decanter

44. 잔(glass) 가장자리에 소금, 설탕을 묻힐 때 빠르
고 간편하게 사용 할 수 있는 칵테일 기구는?

　가. 글라스 리머(glass rimmer)

　나. 디켄터(decanter)

　다. 푸어러(pourer)

　라. 코스터(coaster)

45. 글라스(glass)의 위생적인 취급방법으로 옳
지 못한 것은?

　가. Glass는 불쾌한 냄새나 기름기가 없고 환기
　　가 잘 되는 곳에 보관해야 한다.

　나. Glass는 비눗물에 닦고 뜨거운 물과 맑은 물
　　에 헹궈 그대로 사용하면 된다.

　다. Glass를 차게 할 때는 냄새가 전혀 없는 냉
　　장고에서 frosting 시킨다.

　라. 얼음으로 frosting 시킬 때는 냄새가 없는 얼
　　음인지를 반드시 확인해야 한다.

46. 칵테일에 사용되는 청량음료로 quinine,
lemon 등 여러가지 향료 식물로 만든 것은?

　가. soda water　　　나. ginger ale

　다. collins mixer　　라. tonic water

47. 와인의 적정온도 유지의 원칙으로 옳지 않
은 것은?

　가. 보관 장소는 햇빛이 들지 않고 서늘하며, 습
　　기가 없는 곳이 좋다.

　나. 연중 급격한 변화가 없는 곳이어야 한다.

　다. 와인에 전해지는 충격이나 진동이 없는 곳
　　이 좋다.

　라. 코르크가 젖어 있도록 병을 눕혀서 보관해
　　야 한다.

48. 칵테일에 관련된 각 용어의 설명이 틀린 것은?

　가. cocktail pick - 장식에 사용하는 핀

　나. peel - 과일 껍질

　다. decanter - 신맛이라는 뜻

　라. fix - 약간 달고, 맛이 강한 칵테일의 종류

49. 마티니(Martini)를 만들 때 사용하는 칵테일기
구로 적합하지 않는 것은?

　가. 믹싱글라스(mixing glass)

　나. 바 스트레이너(bar strainer)

　다. 바 스푼(bar spoon)

　라. 셰이커(shaker)

50. Dry martini의 레시피가 "gin 2 oz, dry
vermouth 1/4 oz, olive 1개" 이며, 판매가격
은 10,000원이다. 재료별 가격이 다음과 같을
때 원가율은?

· gin 20000원/병(25 oz)

· olive 100원/개

· dry vermouth 10,000원/병(25 oz)

　가. 10 %　　　　　나. 12 %

　다. 15 %　　　　　라. 18 %

51. Which is not one of the four famous Whiskies in the world?

가. Canadian whisky   나. Scotch whisky

다. American whisky   라. Japanese whisky

52. 다음 ( )에 들어갈 알맞은 것은?

· "What is an air conditioner?" "An air conditioner is ( ) controls the temperature in a room."

가. this   나. what

다. which   라. something

53. 다음 중 의미가 다른 하나는?

가. It's my treat this time.

나. I'll pick up the tab.

다. Let's go Dutch.

라. It's on me.

54. What is a sommelier?

가. Bartender   나. Wine steward

다. Pub owner   라. Waiter

55. 다음 ( ) 안에 들어갈 단어로 알맞은 것은?

· It is also a part of your job to make polite and friendly small talk with customers to ( ) them feel at home.

가. doing   나. takes

다. gives   라. make

56. 다음 ( )에 들어갈 단어로 알맞은 것은?

· ( ) goes well with dessert.

가. ice wine   나. red wine

다. vermouth   라. dry sherry

57. 다음 ( )에 들어갈 단어로 옳은 것은?

· ( ) is the conversion of sugar contained in the mash or must into ethyl alcohol.

가. distillation   나. fermentation

다. infusion   라. decanting

58. 다음 ( ) 안에 들어갈 단어를 순서대로 옳게 나열한 것은?

G_1 : This is the bar I told you about.
G_2 : Hmm.... looks ( ) a very nice one
W : What kind of drink Would you like?
G_1 : Let's see. Scotch ( ) the rocks, a double.

가. be, over   나. liking, off

다. like, on   라. alike, off

59. Which of the following is not distilled liquor?

가. vodka   나. gin

다. calvados   라. pulque

60. 아래의 guest(G)와 receptionist(R)의 대화에서 ( ) 안에 들어갈 단어로 알맞은 것은?

G : Is there a swimming pool in this hotel?
R : Yes, there is. It is (A) the 4th floor.
G : What time does it open in the morning?
R : It opens (B) morning at 6 AM.

가. A :at, B : each   나. A: on, B : every

다. A :to, B : at   라. A : by, B : in

정답 및 해설

| 2012년 제2회 조주기능사 필기시험 기출문제 |

1	2	3	4	5	6	7	8	9	10
가	다	가	다	나	나	나	라	라	라
11	12	13	14	15	16	17	18	19	20
라	다	라	라	다	다	라	가	나	가
21	22	23	24	25	26	27	28	29	30
라	가	다	가	나	나	다	라	라	다
31	32	33	34	35	36	37	38	39	40
다	라	라	나	나	나	라	가	라	라
41	42	43	44	45	46	47	48	49	50
나	가	가	가	나	라	가	다	라	라
51	52	53	54	55	56	57	58	59	60
라	나	다	나	라	가	나	다	라	나

1. 보졸레는 샹파뉴 지역과 함께 프랑스에서 손 수확이 법으로 의무화되어 있는 곳이다. 손 수확을 의무화한 이유는 포도송이가 상처 입는 것을 예방하기 위해서다. 포도가 상처를 입게 되면 산화가 빨리 진행되어 신선한 포도맛을 잃게 되므로, 이를 방지하기 위해 기계수확을 금지하는 것

2. Gin Ricky에 관한 레시피이다.

3. 청주(淸酒)는 대한민국의 전통주로, 맛이 흐리며 색이진한 탁주(濁酒)에 용수를 박아서 맑게 정제한 양조주이다.

4. 스카치위스키가 2회 증류해서 만드는 반면 아이리쉬 위스키는 단식 증류기로 3번 증류해서 만드는 것이 특징이다.

5. Gin Fizz는 빌드기법의 칵테일이다. 즉 믹싱글라스를 필요로 하는 스터기법이 아닌것.

6. Rum의 주요산지는 남미, 카리브 해 서인도제도이다.

7. Blanc de Blancs은 프랑스어를 그대로 직역해 보면 '백에서 얻은 백'이란 뜻으로 청포도품종(주로 샤르도네)으로만 만든 화이트와인이나 샴페인을 가리키는 말이다.

8. straw는 칵테일 서브시 제공되는 비w품이다.

9. 1 quart는 32oz, 약960ML, 1/4 gallon 이며 25pony는 750ML, 25oz 이다.

10. Armagnac(아르마냑)은 프랑스산 브랜디의 일종이다.

11. 프랑스의 와인등급별 구분으로 원산지 통제 명칭, 프랑스 정부가 와인생산지를 규정하고, 와인양조 기준(알코올 함량, 포도품종, 재배방법)을 관리하기 위해 만든 명칭이다.

12. 코코아(cocoa)는 카카오 콩의 가공품으로 cacao콩으로부터 cocoa butter의 일부를 제거하고 분쇄한 것.

13. Pink Lady는 계란흰자, 드라이 진, 우유, 그레나딘 시럽이 들어가는 칵테일이다. 즉 예문중 가장 많은 주, 부재료가 들어가는 칵테일이다.

14. 정화수란 이른 새벽에 처음 길은 우물물을 말하는데, 물의 으뜸으로 꼽힌다. 물의 성질은 평(平)하고 맛이 달며 독이 없다.

15. extra dry(단맛이 거의 없는) = 12~20 g/L

16. 코냑(cognac)의 주령관리 단위를 Compte(콩트)라 하는데 전해의 와인이 완전히 증류되는 매년 4월 1일을 콩트 0으로 표기하며 1년이 지나면 콩트1이 된다.

17. 80 proof = 40% proof은 미국에서 사용되는 알코올 도수의 표시방법으로서, 온도 60°F(15.6℃)의 물 0에 에틸알코올 200을 Proof로 계산한다. 즉 100 Proof는 국내도수의 50°와 동일하다.

18. 혼성주 제조법에 양조법(fermentation)은 포함되지 않는다.

19. distilling(증류법)은 조주기법(cocktail technique)에 해당되지 않는다.

20. 라가르(lagar)란 포도주를 만들기 위해 포도를 으깨는 통을 뜻한다.

21. 아르헨티나 멘도자(Mendoza)지역은 연평균 강수량이 200mm 이하로 건조한 기후이다.

22. cabernet sauvignon(카베르네 소비뇽) 프랑스 보르도 지방에서 재배되는 적포도주용 포도품종

23. Harvey Wallbanger은 빌드기법의 칵테일로 장식으로 프로스팅(frosting) 기법이 사용되지 않는다.

24. 데킬라는 사이드카의 재료로 적당하지 않다.

25. 백세주(百歲酒)는 찹쌀로 만든 한국의 발효술이며, 이 가운데 다양한 허브, 인삼으로 맛을 낸다. 백세주는 전통적인 방식으로 양조하며 미량의 인삼을 넣어 감미로운 맛을 낸다. 백세주라는 이름은 이 술을 마시면 백세까지도 살 수 있다해서 붙여졌다.

26. Kiss of Fire는 sugar frost로 장식하는 칵테일이다.

27. 소다수처럼 탄산음료는 셰이킹(shaking)기법을 사용하지 않는다.

28. Barbaresco는 이탈리아 바롤로(Barolo)와 동북쪽으로 이웃하고 있으며 네비올로(Nebbiolo) 품종을 재배한다.

29. 곡물은 혼성주 특유의 향과 맛을 이루는 주재료가 아니다.

30. 아르마냑(Armagnac)은 프랑스 보르도(Bordeaux) 지방의 남쪽 피레네산맥에 가까운 아르마냑 지역에서 생산되는 브랜디의 일종으로 프랑스의 유명한 브랜디 꼬냑과 아르마냑을 들 수 있다.

31. 글라스의 가늘고 기다란 부분을 stem이라 한다.

32. 재고조사(inventory)를 담당하는 것은 바텐더의 역할이다.

33. X. O(Extra Old)는 45년 이상의 숙성기간 표기법이다.

34. 리큐어 글라스(Liqueur Glass)를 일명 코디얼 글라스(Cordial Glass)라고도 한다.

35. 식음료 재료비와 인건비를 프라임 코스트(prime cost)라 한다.

36. back bar는 바의 부분명칭중 하나

37. 에퍼리티프는 식욕증진제라는 의미의 프랑스 언어로 영어의 에피타이저(Appetizer)에 해당되며 식사 전에 마시는 주류를 말한다. 당분이 많이 함유된 단맛이 있는 술은 주로 식후주로 제공된다.

38. 예문중 셰이커(shaker)를 이용하여 만든 칵테일은 ①, ②, ③, ⑤ 즉 정답은 가

39. Angel's Kiss를 만들 때는 bar spoon을 사용하여 띄우기 기법으로 만든다.

40. 포르투갈의 북부를 흐르는 두에로(Duero) 강 유역에서 생산되는 주정 강화 감미(sweet) 포도주이다.

41. 생맥주 취급의 기본원칙은 선입선출(先入先出, First In First Out, 줄여서 FIFO)이다.

42. 외부로부터 반입된 음료(Beverage Bring In)를 서브하고, 그에 대한 서비스 대가로 받는 요금

43. 메저 컵(measure cup) : 계량컵으로서 지거 글라스(jigger glass)라고도 한다. 30㎖와 45㎖ 용기가 위아래로 마주 붙어 있는 것이 보편적이다.

44. 글라스 리머(glass rimmer)는 칵테일 잔의 가장자리에 소금이나 설탕을 묻히는 가장 빠르고 쉬운 도구이다.

45. Glass는 비눗물에 닦고 뜨거운 물과 맑은 물에 헹궈 물기를 제거하여 사용한다.

46. tonic water는 소다에다 키니네(規郡皮의 엑기스), 레몬, 라임, 오렌지 등 과피의 엑기스와 당분을 배합한 것.

47. 와인 보관 온도는 7~18℃가 가장 좋으며 습도는 60 ~ 80%가 적당하다.

48. decanter는 술을 옮겨 담는 장식용 병 종류를 일컬으며 현재 고급스러운 여러 모양의 컷 글라스 등이 사용되고 있다. 옮겨 담는 작업을 "Decanting"이라고 함.

49. 셰이커(shaker)는 마티니 조주시 사용되지 않는다.

50. 원가율(%) = (총 재료비 / 판매가) * 100

51. 즉, 원가율(18%) = ((총 재료비 (gin 2oz(1,600원), dry vermouth 1/4oz(100원), olive 1개(100원)) / 판매가(10,000원) * 100

52. 세계 4대 위스키 주요산지에 Japanese whisky는 포함되지 않는다.

53. what은 the thing(s) which로 해석할 수 있다. which 앞에는 선행사가 있어야한다. 따라서 what이 정답. -에어컨은 기온을 조절하는 것이다.

54. Let's go Dutch.(각자 분담합시다.)

55. 소믈리에 [Sommelier, Wine steward]는 고객으로부터 음료에 대한 모든 주문(Wine, Spirit, Beer, Soft Drink 등)을 받고 바(Bar)에 주문하여 직접 그 테이블에 서브하는 임무를 띤 접객원이다.

56. make 고객들이 집처럼(편안함을) 느끼게 만들기 위해

57. Ice wine은 당도가 높은 와인으로 식후용으로 쓰일 수 있다.

58. fermentation(발효)은 매쉬(엿기름 물)나 포도액에 함유된 당분이 에틸알코올로 변환되는 것이다.

59. looks like ~인 것처럼 보인다, 얼음 위에 술을 부어 마시는 방법은 on the rocks라 한다.

60. pulque(용설란으로 만든 멕시코 토속주로 증류하지 않은 양조주이다.)

61. 층을 나타낼 때는 전치사 on을 사용한다. every morning(매일 아침)

2012년 제4회 조주기능사 필기시험 기출문제

분야		자격종목		수험번호		이름	

1. 곡류를 원료로 만드는 술의 제조시 당화과정에 필요한 것은?

　가. ethyl alcohol　　　나. CO_2

　다. yeast　　　　　　라. diastase

2. 데킬라에 오렌지 주스를 배합한 후 붉은색 시럽을 뿌려서 가라앉은 모양이 마치 일출의 장관을 연출케 하는 희망과 환희의 칵테일은?

　가. Stinger　　　　　나. Tequila sunrise

　다. screw driver　　　라. Pink lady

3. 과일이나 곡류를 발효시킨 주정을 기초로 증류한 스프릿(spirits)에 감미를 더하고 천연 향미를 첨가한 것은?

　가. 양조주(fermented liquor)

　나. 증류주(distilled liquor)

　다. 혼성주(liqueur)

　라. 아쿠아비트(akvavit)

4. 커피의 맛과 향을 결정하는 중요 가공 요소가 아닌 것은?

　가. roasting　　　　나. blending

　다. grinding　　　　라. weathering

5. 보드카(vodka)에 대한 설명 중 틀린 것은?

　가. 슬라브 민족의 국민주라고 할 수 있을 정도로 애음되는 술이다.

　나. 사탕수수를 주원료로 사용한다.

　다. 무색(colorless), 무미(tasteless), 무취(odorless)이다.

　라. 자작나무의 활성탄과 모래를 통과시켜 여과한 술이다.

6. 다음 중 용량이 가장 큰 계량단위는?

　가. 1 teaspoon　　　나. 1 pint

　다. 1 split　　　　　라. 1 dash

7. 칵테일 장식에 사용되는 올리브(olive)에 대한 설명으로 틀린 것은?

　가. 칵테일용과 식용이 있다.

　나. 마티니의 맛을 한껏 더해준다.

　다. 스터프트 올리브(stuffed olive)는 칵테일용이다.

　라. 롭 로이 칵테일에 장식되며 절여서 사용한다.

8. 다음 중 혼성주의 제조방법이 아닌 것은?

　가. 샤르마법(charmat process)

　나. 증류법(distilled process)

　다. 침출법(infusion process)

　라. 배합법(essence process)

9. 프랑스에서 가장 오래된 혼성주 중의 하나로 호박색을 띠고 '최대 최선의 신에게' 라는 뜻을 가지고 있는 것은?

　가. 압생트(absente)

　나. 아쿠아비트(akvavit)

　다. 캄파리(campari)

　라. 베네딕틴 디오엠(benedictine D.O.M)

10. 흑맥주가 아닌 것은?

　가. Stout beer　　　　나. Münchener beer

　다. Kölsch beer　　　　라. Porter beer

11. 다음 중 그레나딘(grenadine)이 필요한 칵테일은?

　가. 위스키 사워(sour)

　나. 바카디(bacardi)

　다. 카루소(caruso)

　라. 마가리타(margarita)

12. 스파클링 와인에 해당 되지 않는 것은?

　가. Champagne　　　　나. Cremant

　다. Vin doux naturel　　라. Spumante

13. 수분과 이산화탄소로만 구성되어 식욕을 돋우는 효과가 있는 음료는?

　가. mineral water　　　나. soda water

　다. plain water　　　　라. cider

14. 정찬코스에서 hors d'oeuvre 또는 soup 대신에 마시는 우아하고 자양분이 많은 칵테일은?

　가. after dinner cocktail

　나. before dinner cocktail

　다. club cocktail

　라. night cap cocktail

15. 다음 중 뜨거운 칵테일은?

　가. 아이리쉬 커피　　　나. 싱가폴 슬링

　다. 핑크 레이디　　　　라. 피나 콜라다

16. 알코올성 음료 중 성질이 다른 하나는?

　가. Kahlua　　　　　　나. Tia maria

　다. Vodka　　　　　　라. Anisette

17. 에일(ale)이란 음료는?

　가. 와인의 일종이다.

　나. 증류주의 일종이다.

　다. 맥주의 일종이다.

　라. 혼성주의 일종이다.

18. 다음 중 오드비(eau de vie)가 아닌 것은?

　가. Kirsch　　　　　　나. Apricots

　다. Framboise　　　　　라. Amaretto

19. 보르도(bordeaux)지역에서 재배되는 레드 와인용 포도품종이 아닌 것은?

　가. 메를로(merlot)

　나. 뮈스까델(muscadelle)

　다. 까베르네 소비뇽(cabernet sauvignon)

　라. 까베르네 프랑(cabernet franc)

20. 맨하탄(Manhattan) 칵테일을 담아 제공하는 글라스로 가장 적합한 것은?

　가. 샴페인 글라스(champagne glass)

　나. 칵테일 글라스(cocktail glass)

　다. 하이볼 글라스(highball glass)

　라. 온더락 글라스(on the rock glass)

21

21. 포트 와인(port wine)이란?

가. 포르투갈산 강화주

나. 포도주의 총칭

다. 캘리포니아산 적포도주

라. 호주산 적포도주

22. 세계 4대 위스키에 속하지 않는 것은?

가. Scotch whisky

나. American whiskey

다. Canadian whisky

라. Japanese whisky

23. 칵테일 도량용어로 1 finger에 가장 가까운 양은?

가. 30 mL 정도의 양

나. 1 병(bottle)만큼의 양

다. 1 대시(dash)의 양

라. 1 컵(cup)의 양

24. 진에 다음 어느 것을 혼합해야 Gin rickey가 되는가?

가. 소다수(soda water)

나. 진저엘(ginger ale)

다. 콜라(cola)

라. 사이다(cider)

25. Gibson에 대한 설명으로 틀린 것은?

가. 알코올 도수는 약 36도에 해당한다.

나. 베이스는 gin이다.

다. 칵테일 어니언(onion)으로 장식한다.

라. 기법은 shaking이다.

26. 우리나라 민속주에 대한 설명으로 틀린 것은?

가. 탁주류, 약주류, 소주류 등 다양한 민속주가 생산된다.

나. 쌀 등 곡물을 주원료로 사용하는 민속주가 많다.

다. 삼국시대부터 증류주가 제조되었다.

라. 발효제로는 누룩만을 사용하여 제조하고 있다.

27. 와인의 용량 중 1.5 L 사이즈는?

가. 발따자르(balthazar)

나. 드미(demi)

다. 매그넘(magnum)

라. 제로보암(jeroboam)

28. 커피의 3대 원종이 아닌 것은?

가. 로부스타종   나. 아라비카종

다. 인디카종   라. 리베리카종

29. 다음 중 Bourbon whiskey는?

가. Jim beam   나. Ballantine's

다. Old Bushmills   라. Cutty Sark

30. 잔 주위에 설탕이나 소금 등을 묻혀서 만드는 방법은?

가. shaking   나. building

다. floating   라. frosting

31. 원가를 변동비와 고정비로 구분할 때 변동비에 해당하는 것은 ?

가. 임차료   나. 직접재료비

다. 재산세   라. 보험료

32. 발포성 와인이 서비스 방법으로 틀린 것은?

가. 병을 45°로 기울인 후 세게 흔들어 거품이 충분히 나도록 한 후 철사 열개를 푼다.

나. 와인쿨러에 물과 얼음을 넣고 발포성 와인 병을 넣어 차갑게 한 다음 서브한다.

다. 서브 후 서비스 냅킨으로 병목을 닦아 술이 테이블 위로 떨어지는 것을 방지한다.

라. 거품이 너무 나지 않게 잔의 내측 벽으로 흘리면서 잔을 채운다.

33. 믹싱글라스(mixing glass)에서 만든 칵테일을 글라스에 따를 때 얼음을 걸러주는 역할을 하는 기구는?

가. ice pick   나. ice tong

다. strainer   라. squeezer

34. 테이블의 분위기를 돋보이게 하거나 고객의 편의를 위해 중앙에 놓는 집기들의 배열을 무엇이라 하는가?

가. Service wagon   나. Show plate

다. B & B plate   라. center piece

35. 바텐더(bartender)의 수칙이 아닌 것은?

가. Recipe에 의한 재료와 양을 사용한다.

나. 영업 중 bar에서 재고조사를 한다.

다. 고객과의 대화에 지장이 없도록 교양을 넓힌다.

라. 고객 한 사람마다 신경 써서 주문에 응한다.

36. Standard recipe를 지켜야 하는 이유로 틀린 것은?

가. 동일한 맛을 낼 수 있다.

나. 객관성을 유지 할 수 있다.

다. 원가책정의 기초로 삼을 수 있다.

라. 다양한 맛을 낼 수 있다.

37. 레몬이나 과일 등의 가니쉬를 으깰 때 쓰는 목재로 된 칵테일 기구는?

가. 칵테일 픽(cocktail pick)

나. 푸어러(pourer)

다. 아이스 페일(ice pail)

라. 우드 머들러(wood muddler)

38. 음료가 든 잔을 서비스할 때 틀린 사항은?

가. Tray를 사용한다.

나. Stem을 잡는다.

다. Rim을 잡는다.

라. Coaster를 사용한다.

39. 바에서 사용하는 house brand의 의미는?

가. 널리 알려진 술의 종류

나. 지정 주문이 아닐 때 쓰는 술의 종류

다. 상품(上品)에 해당하는 술의 종류

라. 조리용으로 사용하는 술의 종류

40. 바텐더가 지켜야 할 바(bar)에서의 예의로 가장 올바른 것은?

가. 정중하게 손님을 환대하며 고객이 기분이 좋도록 lip service를 한다.

나. 자주 오시는 손님에게는 오랜 시간 이야기한다.

다. Second order를 하도록 적극적으로 강요한다.

라. 고가의 품목을 적극 추천하여 손님의 입장보다 매출에 많은 신경을 쓴다.

41. 와인 서빙에 필요치 않은 것은?

가. decanter   나. cork screw

다. stir rod   라. pincers

42. 다음은 무엇에 대한 설명인가?

· 일정기간동안 어떤 물품에 대한 정상적인 수요를 충족시키는데 필요한 재고량

가. 기준재고량(par stock)

나. 일일재고량

다. 월말재고량

라. 주단위재고량

43. 바(bar) 집기 비품에 속하지 않는 것은?

가. Nut meg
나. Spindle mixer
다. Paring knife
라. Ice pail

44. 다음 중 decanter와 가장 관계 있는 것은?

가. Red Wine
나. White Wine
다. Champagne
라. Sherry Wine

45. 맥주의 관리방법으로 옳은 것은?

가. 습도가 높은 곳에 보관한다.

나. 장시간 보관·숙성시켜서 먹는 것이 좋다.

다. 냉장보관 할 필요는 없다.

라. 직사광선을 피해 그늘지고 어두운 곳에 보관하여야 한다.

46. 와인의 이상적인 저장고가 갖추어야 할 조건이 아닌 것은?

가. 8℃에서 14℃ 정도의 온도를 항상 유지해야 한다.

나. 습도는 70~75% 정도를 항상 유지해야 한다.

다. 흔들림이 없어야 한다.

라. 통풍이 좋고 빛이 들어와야 한다.

47. 프론트바(front bar)에 대한 설명으로 옳은 것은?

가. 주문과 서브가 이루어지는 고객들의 이용 장소로서 일반적으로 폭 40 cm, 높이 120 cm 가 표준이다.

나. 술과 잔을 전시하는 기능을 갖고 있다.

다. 술을 저장하는 창고이다.

라. 주문과 서브가 이루어지는 고객들의 이용 장소로서 일반적으로 폭 80cm, 높이 150cm 가 표준이다.

48. 프라페(frappe)를 만들기 위해 준비하는 얼음은?

가. cube ice
나. big ice
다. cracked ice
라. crushed ice

49. Rob Roy 조주시 사용하는 기물은?

가. 셰이커(shaker)

나. 믹싱글라스(Mixing Glass)

다. 전기 블렌더(Blender)

라. 주스믹서(Juice Mixer)

50. 선입선출의 의미로 맞는 것은?

가. first - in, first - on

나. first - in, first - off

다. first - in, first - out

라. first - inside, first - on

51. What is the meaning of a walk-in guest?

가. A guest with no reservation

나. Guest on charged intead of reservation guest

다. By walk-in guest

라. Guest that checks in through the front desk

52. 다음 밑줄 친 단어의 의미는?

A : This beer is <u>flat.</u> I don't like warm beer.
B : I'll have them replace it with a cold one.

가. 시원한 나. 맛이 좋은
다. 김이 빠진 라. 너무 독한

53. 다음에서 설명하는 것은?

· A drinking mug, usually made of earthenware used for serving beer.

가. stein 나. coaster
다. decanter 라. muddler

54. 다음에서 설명하는 것은?

· It is a denomination that controls the grape quality, cultivation, unit, density, crop, production.

가. V.D.Q.S 나. Vin de Pays
다. Vin de Table 라. A.O.C

55. 다음 (   ) 안에 가장 알맞은 것은?

· Our hotel's bar has a (   ) from 6 to 9 in every Monday.

가. bargain sales 나. expensive price
다. happy hour 라. business time

56. Which is not scotch whisky?

가. Bourbon 나. Ballantine
다. Cutty sark 라. V.A.T. 69

57. "우리는 새 블렌더를 가지고 있다." 를 가장 잘 표현한 것은?

가. We has been a new blender.
나. We has a new blender.
다. We had a new blender.
라. We have a new blender.

58. 다음 (   ) 안에 알맞을 것은?

· (   ) must have juniper berry flavor and can be made either by distillation or re-distillation.

가. Whisky 나. Rum
다. Tequila 라. Gin

59. 다음 (   ) 안에 적합한 단어는?

A : What would you like to drink ?
B : I'd like a (   ).

가. bread 나. sauce
다. pizza 라. beer

60. What is the difference between Cognac and Brandy?

가. Material
나. region
다. manufacturing company
라. nation

25

정답 및 해설

| 2012년 제4회 조주기능사 필기시험 기출문제 |

1	2	3	4	5	6	7	8	9	10
라	나	다	라	나	나	라	가	라	다
11	12	13	14	15	16	17	18	19	20
나	다	나	다	가	다	다	라	나	나
21	22	23	24	25	26	27	28	29	30
가	라	가	가	라	다	다	다	가	라
31	32	33	34	35	36	37	38	39	40
나	가	다	라	나	라	라	다	나	가
41	42	43	44	45	46	47	48	49	50
다	가	가	가	라	라	가	라	나	다
51	52	53	54	55	56	57	58	59	60
가	다	가	라	다	가	라	라	라	나

1. diastase는 아밀라아제의 옛 명칭. 맥아나 누룩으로 조제되는 조효소 제제. 보리를 발아시켜 맥아를 만들어 물로 침출한 다음, 알코올을 첨가하여 디아스타아제를 침전시키고, 그 녹말의 소화력을 200배로 조절한 것이다.

2. Tequila sunrise에 관한 조주법이다.

3. 혼성주(Liqueur)란 주류(Spirit)에 향, 색, 감미를 첨가한 술이다. 프랑스는 알코올 15%이상, 당분 20%이상, 향신료가 첨가된 술을 Liqueur라고 한다.

4. 커피의 중요 가공 요소는 roasting, grinding, blending이다.

5. 사탕수수를 주원료로 만들어진 술은 럼(Rum)이다.

6. 1 pint = 16oz

7. 롭로이 칵테일에 장식되는 것은 체리이다.

8. 혼성주의 제조방법은 증류법(distilled process), 침출법(infusion process), 배합법(essence process)이다.

9. 베네딕틴 디오엠(benedictine D. O. M)은 여러 가지 약초로 착향(着香)시킨 가장 오래된 리큐어(Liqueur) 중의 하나로, 베네딕틴 수도원의 한 수도사에 의하여 만들어졌으며 아직도 그 조제법은 비밀로 되어 있다. 알코올 도수는 약 42도이며 피로회복에 효능이 있는 술로 널리 애음되고 있다. 이 술은 1510년경부터 제조되기 시작되었으나 한 때 혁명으로 인하여 중단되었다가 19세기경 그 비법을 전한 양피지를 발견함으로써 다시 제조하기 시작하였다. D. O. M(Doc Optimo Maximo)로 불리기도 하는데 그 뜻은 라틴어로 「최고 최대의 신(神)에게 받친다.」이다.

10. 콜시(Kölsch) 필스너타입의 맥주처럼 금색이나, 보다 연하고 다소 과일향이 나는 상면발효에일타입의 맥주이다.

11. 바카디(bacardi) = 럼, 라임주스, 그레나딘시럽

12. (Vin Doux Naturel) - 프랑스의 알코올 강화 와인으로, 당도가 높은 포도 주스의 발효 중에 알코올을 첨가함으로써 발효를 중지하여 만든 와인.

13. soda water 정제·살균한 물에 이산화탄소를 혼합하여 충전하고 마개를 막은 청량음료

14. Club Cocktail 정찬의 코스에서 오드볼(hors d'oeuvre)이나 수프(Soup) 대신으로 제공하는 칵테일

15. 아이리시 커피는 아일랜드 더블린공항 로비라운지에서 고객서비스 차원에서 추운 승객들에게 제공해 주던 핫 칵테일이다.

16. Vodka를 제외한 예문은 종자류[seed, 種子]의 혼성주이다.

17. 에일(ale)이란 상면 발효 효모에 의하여 실온에 가까운 온도에서 발효된 맥주의 일종이다.

18. 아마레토(이탈리아산(産)의 아몬드 향취가 있는 리큐어)

19. Muscadelle(뮈스까델)은 Sauvignon Blanc(쏘비뇽 블랑), Sémillon(쎄미용)과 함께 보르도 지방의 3대화이트 와인 품종

20. 맨해튼(Manhattan)은 칵테일글라스에 제공되는 칵테일이다.

21. 포르투갈 북부 도루 강(Douro R.) 상류의 알토도루 지역에서 재배된 적포도와 청포도로 주로 만들어진다. 포트와인(Port Wine)이라는 명칭은 이 지역의 수출을 담당한 항구 이름이 '오포르토'인데서 유래하였다. 1670년대부터 영국으로 선적되어 왔는데, 1800년대 들어와 오랜 수송기간 동안 와인의 변질을 막고자 선적자들이 브랜디를 첨가하였으며 이것이 오늘날 주정강화 와인인 포트와인이 되었다.

22. 세계 4대 위스키 주요산지에 Japanese whisky는 포함되지 않는다.

23. 1 finger는 30ML, 1oz이다.

24. Gin rickey는 드라이진에 라임 주스를 섞고 소다수를 첨가해 만든 칵테일

25. Gibson의 칵테일 조주시 사용되어지는 기법은 Stir (스터)이다.

26. 고려 말에 몽고에서 증류기술이 들어와 증류주를 만들기 시작하였다.

27. Magnum이란 "750ML짜리 일반 와인 병보다 두 배 큰 와인 병"을 말한다. Magnum → 1.5L

28. 커피의 3대 원종 : 아라비카, 로부스타, 리베리카종

29. Jim beam 버번위스키의 브랜드. 1795년 독일계 미국인 제이콥 빔(Jacob Beam)이 주조법을 완성했다. 양조장은 미국 켄터키 주의 클러먼트(Clermont)에 있다.

30. 가니쉬의 일종으로 잔 주위에 설탕이나 소금 등을 묻혀서 만드는 방법은 frosting이다.

31. 원가계산의 요소에는 고정비와 변동비가 있는데, 어떤 원가가 조업도의 변화에 비례하여 변동된다면 그 원가를 변동비라고 한다. 변동비의 예로서는 대부분의 재료비와 부문품비, 조립작업비, 판매원의 수수료 등을 들 수 있다.

32. 병을 수직으로 세워 거품이 나지 않게 조심스럽게 철사 열 개를 푼다.

33. strainer = 얼음 거름망

34. center piece 식탁(食卓)의 중앙장식물(中央裝飾物). 식탁(Table)의 분위기를 좀 더 돋보이게 하기 위해서, Table 중앙에 놓이는 집기들의 배열

35. 재고조사는 영업 종료 후 실시한다.

36. Standard recipe란 표준 제조법이다. 다양한 맛을 낼 수는 없다.

37. 우드 머들러(Wood Muddler) 레몬이나 과일 등의 가니쉬를 으깰 때 쓰는 목재로 된 막대이다.

38. Rim은 글라스 가장자리로 고객이 음료를 음용하는 곳이다. 음료서브시 Rim을 파지하지 않게 주위를 기울여야 한다.

39. house brand = 지정 주문이 아닐 때 쓰는 술의 종류

40. 바텐더의 근무수칙, 정중하게 손님을 환대하며 고객이 기분이 좋도록 lip service를 한다.

41. stir rod는 와인서빙에 필요치 않다.

42. 기준재고량(par stock)을 뜻한다.

43. Nut meg 육두구 나무의 열매로 양념·향미료로 쓰임

44. Red Wine은 오랜 숙성 기간으로 침전물을 거르기 위해 decanter를 사용한다.

45. 직사광선을 피해 그늘지고 어두운 곳에 보관하여야 맥주의 변질을 줄일수 있다.

46. 와인의 이상적인 저장고는 빛이 들어오지 않아야 한다.

47. 프론트 바란? 주문과 서브가 이루어지는 고객들의 이용 장소로서 일반적으로 폭 40 cm, 높이 120 cm가 표준이다.

48. 프라페(frappe)스타일의 음료는 crushed ice가 제공된다.

49. Rob Roy는 믹싱글라스(Mixing Glass)를 사용하는 스터(휘젓기)기법의 칵테일이다.

50. 선입선출(first - in, first - out)

51. walk-in guest란 A guest with no reservation(예약 없이 방문한 사람을 뜻한다.)

52. flat = 김이 빠진

53. 일반적으로 토기로 만들어지고 맥주를 서브할 때 쓰이는 맥주잔은 stein이다.

54. 포도의 질, 경작, 작황을 통제하는 호칭은 A. O. C이다.

55. 문맥상 괄호 안에 들어갈 말은 happy hour(가격 할인 시간대)이다.

56. Bourbon은 미국 위스키이다.

57. We have a new blender = 우리는 새 블랜더를 가지고 있다.

58. juniper berry 향이 첨가된 술은 Gin이다.

59. 무엇을 마실 것인지 물어봤기 때문에 답은 마실 것이 된다.

60. Cognac과 Brandy는 지역의 차이에 따른 구분이다.

2012년 제5회 조주기능사 필기시험 기출문제

분야		자격종목		수험번호		이름	

1. 곡물(grain)을 원료로 만든 무색투명한 증류주에 두송자(juniper berry)의 향을 착향시킨 술은?

　가. tequila　　　나. rum

　다. vodka　　　라. gin

2. 다음 보기에 대한 설명으로 옳은 것은?

---
① 만자닐라(Manzanilla)
② 몬틸라(Montilla)
③ 올로로쏘(Oloroso)
④ 아몬티라도(Amontillado)

　가. 이탈리아산 포도주

　나. 스페인산 백포도주

　다. 프랑스산 샴페인

　라. 독일산 포도주

3. 만들어진 칵테일에 손의 체온이 전달되지 않도록 할 때 사용되는 글라스(glass)로 가장 적합한 것은?

　가. stemmed glass

　나. old fashioned glass

　다. highball glass

　라. collins glass

4. 우리나라의 증류식 소주에 해당되지 않는 것은?

　가. 안동소주　　　나. 제주 한주

　다. 경기 문배주　　라. 금산 삼송주

5. 깁슨(Gibson) 칵테일에 알맞은 장식은?

　가. 올리브(Olive)

　나. 민트(Mint)

　다. 체리(Cherry)

　라. 칵테일 어니언(Cocktail onion)

6. 다음 중 와인의 품질을 결정하는 요소로 가장 거리가 먼 것은?

　가. 환경요소(terroir, 테루와르)

　나. 양조기술

　다. 포도품종

　라. 부케(bouquet)

7. 일반적으로 단식증류기(Pot still)로 증류하는 것은?

　가. Kentucky Straight Bourbon whiskey

　나. Grain whisky

　다. Dark rum

　라. Aquavit

8. 상면발효 맥주로 옳은 것은?

　가. bock beer　　　나. budweiser beer

　다. porter beer　　라. asahi beer

9. Malt Whisky를 바르게 설명한 것은?

　가. 대량의 양조주를 연속식으로 증류해서 만든 위스키

　나. 단식 증류기를 사용하여 2회의 증류과정을 거쳐 만든 위스키

　다. 피트탄(peat, 석탄)으로 건조한 맥아의 당액을 발효해서 증류한 피트향과 통의 향이 배인 독특한 맛의 위스키

　라. 옥수수를 원료로 대맥의 맥아를 사용하여 당화시켜 개량솥으로 증류한 고농도 알코올의 위스키

10. 다음 중 연결이 옳은 것은?

　가. absinthe - 노르망디 지방의 프랑스산 사과 브랜디

　나. campari - 주정에 향쑥을 넣어 만드는 프랑스산 리큐르

　다. calvados - 이탈리아 밀라노에서 생산되는 와인

　라. chartreuse - 승원(수도원)이란 뜻을 가진 리큐르

11. Scotch whisk에 꿀(Honey)을 넣어 만든 혼성주는?

　가. Cherry Heering　　나. Cointreau

　다. Galliano　　라. Draimbuie

12. 커피(Coffee)의 제조방법 중 틀린 것은?

　가. 드립식(drip filter)

　나. 퍼콜레이터식(percolator)

　다. 에스프레소식(espresso)

　라. 디켄터식(decanter)

13. 다음 중 프랑스의 발포성 와인으로 옳은 것은?

　가. Vin Mousseux　　나. Sekt

　다. Spumante　　라. Perlwein

14. "생명의 물" 이라고 지칭되었던 유래가 없는 술은?

　가. 위스키　　나. 브랜디

　다. 보드카　　라. 진

15. 소금을 Cocktail Glass 가장자리에 찍어서 (Riming) 만드는 칵테일은?

　가. Singapore Sling　　나. Side Car

　다. Margarita　　라. Snowball

16. 보드카가 기주로 쓰이지 않는 칵테일은?

　가. 맨해탄　　나. 스크루드라이브

　다. 키스 오브 화이어　　라. 치치

17. 1 quart는 몇 ounce인가?

　가. 1　　나. 16

　다. 32　　라. 38.4

18. Long Drink에 대한 설명으로 틀린 것은?

　가. 주로 텀블러 글라스, 하이볼 글라스 등으로 제공한다.

　나. 탐 콜린스, 진피즈 등이 속한다.

　다. 일반적으로 한 종류 이상의 술에 청량음료를 섞는다.

　라. 무알콜 음료의 총칭이다.

19. Gin & Tonic에 알맞은 glass와 장식은?

　가. Collins Glass - Pineapple Slice

　나. Cocktail Glass - Olive

　다. Cocktail Glass - Orange Slice

　라. Highball Glass - Lemon Slice

20. 주류의 주정도수가 높은 것부터 낮은 순서
대로 나열된 것으로 옳은 것은?

　가. Vermouth > Brandy > Fortified Wine >
　　 Kahlua

　나. Fortified Wine > Vermouth > Brandy >
　　 Beer

　다. Fortified Wine > Brandy > Beer >
　　 Kahlua

　라. Brandy > Galliano > Fortified Wine >
　　 Beer

21. 칵테일 제조에 사용되는 얼음(Ice)종류의 설
명이 틀린 것은?

　가. 쉐이브드 아이스(Shaved Ice) : 곱게 빻은
　　 가루 얼음

　나. 큐브드 아이스(Cubed Ice) : 정육면체의 조
　　 각얼음 또는 육각형 얼음

　다. 크렉드 아이스(Cracked Ice) : 큰 얼음을 아
　　 이스 픽(Ice Pick)으로 깨어서 만든 각얼음

　라. 럼프 아이스(lump Ice) : 각얼음을 분쇄하
　　 여 만든 작은 콩알 얼음

22. 스카치 위스키(Scotch Whisky)와 가장 거
리가 먼 것은?

　가. Malt

　나. Peat

　다. Used Sherry Cask

　라. Used Limousin Oak Cask

23. 제조방법상 발효 방법이 다른 차(Tea)는?

　가. 한국의 작설차

　나. 인도의 다르질링(Darjeeling)

　다. 중국의 기문차

　라. 스리랑카의 우바(Uva)

24. 브랜디에 대한 설명으로 가장 거리가 먼 것은?

　가. 포도 또는 과실을 발효하여 증류한 술이다.

　나. 코냑 브랜디에 처음으로 별표의 기호를 도
　　 입한 것은 1865년 헤네시(Hennessy)사에
　　 의해서이다.

　다. Brandy는 저장기간을 부호로 표시하며 그
　　 부호가 나타내는 저장기간은 법적으로 정
　　 해져 있다.

　라. 브랜디의 증류는 와인을 2~3회 단식 증류기
　　 (Pot still)로 증류한다.

25. 맥주의 원료 중 홉(hop)의 역할이 아닌 것
은?

　가. 맥주 특유의 상큼한 쓴맛과 향을 낸다.

　나. 알코올의 농도를 증가시킨다.

　다. 맥아즙의 단백질을 제거한다.

　라. 잡균을 제거하여 보존성을 증가시킨다.

26. 부르고뉴 지역의 주요 포도품종은?

　가. 가메이와 메를로

　나. 샤르도네와 피노 누아

　다. 리슬링과 산지오베제

　라. 진판델과 까베르네 소비용

27. 위스키의 제조과정을 순서대로 나열한 것으
로 가장 적합한 것은?

　가. 맥아 - 당화 - 발효 - 증류 - 숙성

　나. 맥아 - 당화 - 증류 - 저장 - 후숙

　다. 맥아 - 발효 - 증류 - 당화 - 브랜딩

　라. 맥아 - 증류 - 저장- 숙성 - 발효

28. 혼성주의 특성과 가장 거리가 먼 것은?

　가. 증류주 혹은 양조주에 초근목피, 향료, 과
　　 즙, 당분을 첨가하여 만든 술

　나. 리큐르(Liqueur)라고 불리어지는 술

　다. 주로 식후주로 즐겨 마시며 화려한 색채와
　　 특이한 향을 지닌 술

　라. 곡류와 과실 등을 원료로 발효한 술

29. 독일의 와인에 대한 설명 중 틀린 것은?

가. 라인(Rhein)과 모젤(Msel) 지역이 대표적이다.

나. 리슬링(Riesling)품종의 백포도주가 유명하다.

다. 와인의 등급을 포도 수확 시의 당분함량에 따라 결정한다.

라. 1935년 원산지 호칭 통제법을 제정하여 오늘날까지 시행하고 있다.

30. 셰이킹(Shaking)기법에 대한 설명으로 틀린 것은?

가. 셰이커(Shaker)에 얼음을 충분히 넣어 빠른 시간 안에 잘 섞이고 차게 한다.

나. 셰이커(Shaker)에 재료를 넣고 순서대로 Cap을 Strainer에 씌운다음 Body에 덮는다.

다. 잘 섞이지 않는 재료들을 셰이커(Shaker)에 넣어 세차게 흔들어 섞는 조주기법 이다.

라. 계란, 우유, 크림, 당분이 많은 리큐르 등으로 칵테일을 만들 때 많이 사용된다.

31. 음료를 서빙 할 때에 일반적으로 사용하는 비품이 아닌 것은?

가. bar spoon　　　나. coaster

다. serving tray　　　라. napkin

32. 바(Bar)에 대한 설명 중 틀린 것은?

가. 불어의 Bariere 에서 왔다.

나. 술을 판매하는 식당을 총칭하는 의미로도 사용된다.

다. 종업원만의 휴식공간이다.

라. 손님과 바맨 사이에 가로 질러진 널판을 의미한다.

33. 에스프레소 추출 시 너무 진한 크레마 (Dark Crema)가 추출되었을 때 그 원인이 아닌 것은?

가. 물의 온도가 95℃ 보다 높은 경우

나. 펌프압력이 기준압력보다 낮은 경우

다. 포터필터의 구멍이 너무 큰 경우

라. 물 공급이 제대로 안 되는 경우

34. 와인의 보관법 중 틀린 것은?

가. 진동이 없는 곳에 보관한다.

나. 직사광선을 피하여 보관한다.

다. 와인을 눕혀서 보관한다.

라. 습기가 없는 곳에 보관한다.

35. Wood Muddler의 일반적인 용도는?

가. 스파이스나 향료를 으깰 때 사용한다.

나. 레몬을 스퀴즈 할 때 사용한다.

다. 음료를 서빙할 때 사용한다.

라. 브랜디를 띄울 때 사용한다.

36. 기물의 설치에 대한 내용으로 옳지 않는 것은?

가. 바의 수도시설은 Mixing Station 바로 후면에 설치한다.

나. 배수구는 바텐더의 바로 앞에, 바의 높이는 고객이 작업을 볼 수 있게 설치한다.

다. 얼음제빙기는 Back Side에 설치하는 것이 가장 적절하다.

라. 냉각기는 표면에 병따개 부착된 건성형으로 Station 근처에 설치한다.

37. 바람직한 바텐더(Bartender) 직무가 아닌 것은?

가. 바(Bar)내에 필요한 물품 재고를 항상 파악한다.

나. 일일 판매할 주류가 적당한지 확인한다.

다. 바(Bar)의 환경 및 기물 등의 청결을 유지, 관리한다.

라. 칵테일 조주 시 지거(Jigger)를 사용하지 않는다.

38. 포도주(Wine)를 서비스 하는 방법 중 옳지 않은 것은?

가. 포도주병을 운반하거나 따를 때에는 병 내의 포도주가 흔들리지 않도록 한다.

나. 와인병을 개봉했을 때 첫 잔은 주문자 혹은 주빈이 시음을 할 수 있도록 한다.

다. 보졸레 누보와 같은 포도주는 디켄터를 사용하여 일정시간 숙성시킨 후 서비스 한다.

라. 포도주는 손님의 오른쪽에서 따르며 마지막에 보틀을 돌려 흐르지 않도록 한다.

39. 저장관리 방법 중 FIFO란?

가. 선입선출　　　　나. 선입후출

다. 후입선출　　　　라. 임의불출

40. 주장의 종류로 가장 거리가 먼 것은?

가. Cocktail Bar

나. Members Club Bar

다. Pup Bar

라. Snack Car

41. 칵테일을 만드는 기법 중 "Stirring"에서 사용하는 도구와 거리가 먼 것은?

가. Mixing Glass　　　나. Bar Spoon

다. Strainer　　　　　라. Shaker

42. 브랜디 글라스(Brandy Glass)에 대한 설명 중 틀린 것은?

가. 튤립형의 글라스이다.

나. 향이 잔속에서 휘감기는 특징이 있다.

다. 글라스를 예열하여 따뜻한 상태로 사용한다.

라. 브랜디는 글라스에 가득 채워 따른다.

43. 바텐더가 음료를 관리하기 위해서 반드시 필요한 것이 아닌 것은?

가. Inventory　　　　나. FIFO

다. 유통기한　　　　라. 매출

44. 구매명세서(Standard Purchase Specification)를 사용부서에서 작성할 때 필요사항이 아닌 것은?

가. 요구되는 품질요건　나. 품목의 규격

다. 무게 또는 수량　　라. 거래처의 상호

45. 음료가 저장고에 적정재고 수준 이상으로 과도할 경우 나타나는 현상이 아닌 것은?

가. 필요 이상의 유지 관리비가 요구된다.

나. 기회 이익이 상실된다.

다. 판매 기회가 상실된다.

라. 과다한 자본이 재고에 묶이게 된다.

46. Pilsner Glass에 대한 설명으로 옳은 것은?

가. 브랜디를 마실 때 사용한다.

나. 맥주를 따르면 기포가 올라와 거품이 유지된다.

다. 와인향을 즐기는데 가장 적합하다.

라. 옆면이 둥글게 되어 있어 발레리나를 연상하게 하는 모양이다.

47. 주장 종사원(waiter)의 직무에 해당하는 것은?

가. 바(bar) 내부의 청결을 유지한다.

나. 고객으로부터 주문을 받고 봉사한다.

다. 보급품과 기물주류 등을 창고로부터 보급받는다.

라. 조주에 필요한 얼음을 준비한다.

48. Key Box 나 Bottle Member제도에 대한 설명으로 옳은 것은?

가. 음료의 판매회전이 촉진된다.

나. 고정고객을 확보하기는 어렵다.

다. 후불이기 때문에 회수가 불분명하여 자금운영이 원활하지 못하다.

라. 주문시간이 많이 걸린다.

49. 고객이 호텔의 음료상품을 이용하지 않고 음료를 가지고 오는 경우, 서비스하고 여기에 필요한 글라스, 얼음, 레몬 등을 제공하여 받는 대가를 무엇이라 하는가?

가. Rental charge

나. V. A. T(value added tax)

다. Corkage charge

라. Service charge

50. 다음은 무엇에 대한 설명인가?

· 매매계약 조건을 정당하게 이행하였음을 밝히는 것으로 판매자가 구매자에게 보내는 서류를 말한다.

가. 송장(Invoice)

나. 출고전표

다. 인벤토리 시트(Inventory Sheet)

라. 빈 카드(Bin Card)

51. 다음 ( ) 안에 들어갈 단어로 가장 적합한 것은?

· I'd like a stinger please, make it very ( ), but not to strong, please.

가. hot   나. cold

다. sour   라. dry

52. 다음 ( ) 안에 가장 적합한 것은?

W : Good evening, Mr. Carr.
    How are you this evening?
G : Fine, and you. Mr. Kim?
W : very well, thank you.
    What would you like to try tonight?
G : (   )
W : A whisky, no ice, no water. Am I correct?
G : Fantastic!

가. Just one for my health, please.

나. One for the road..

다. I'll stick to my usual.

라. Another one Please.

53. "This milk has gone bad." 의 의미는?

가. 이 우유는 상했다.

나. 이 우유는 맛이 없다.

다. 이 우유는 신선하다.

라. 우유는 건강에 나쁘다.

54. "당신은 무엇을 찾고 있습니까?" 의 올바른 표현은?

가. What are you look for?

나. What do you look for?

다. What are you looking for?

라. What is looking for you?

55. Which is the VODKA based cocktail in the following?

가. Paradise Cocktail   나. Millon Dollars

다. Stinger   라. Kiss of Fire

56. What is the juice of the wine grapes called?

가. mustard   나. must

다. grapeshot   라. grape sugar

57. Which one is the cocktail containing "Bourbon, Lemon, and Sugar?

가. Whisper of kiss   나. Whiskey sour

다. Western rose   라. Washington

58. Which one is the spirit made from Agave?

가. Tequila   나. Rum

다. Vodka   라. Gin

59. Which one is the cocktail to serve not to mix?

가. B&B   나. Black russian

다. Bull Shot   라. Pink lady

60. 「First come first served」의 의미는?

가. 선착순   나. 시음회

다. 선불제   라. 연장자순

정답 및 해설

| 2012년 제5회 조주기능사 필기시험 기출문제 |

1	2	3	4	5	6	7	8	9	10
라	나	가	라	라	라	다	다	다	라
11	12	13	14	15	16	17	18	19	20
라	라	가	라	다	가	다	라	라	라
21	22	23	24	25	26	27	28	29	30
라	라	가	다	나	나	가	라	라	나
31	32	33	34	35	36	37	38	39	40
가	다	다	라	가	다	라	다	가	라
41	42	43	44	45	46	47	48	49	50
라	라	라	라	다	나	나	가	다	가
51	52	53	54	55	56	57	58	59	60
나	다	가	다	라	나	나	가	가	가

1. gin은 정류 알코올에 주니퍼 베리(juniper berry : 노간 주나무 열매)로 향기를 내는 무색투명한 증류주. 주정도 가 40도 정도이고, 네덜란드에서는 국민적 음료로 널리 애용되며, 게네베르(genever)라 부른다.

2. 스페인산 백포도주의 관한 설명이다.

3. Stemmed Glass 몸통과 아래 손잡이, 받침이 있는 글라스로 Footed(아래 손잡이가 있는) 글라스라고도 한다.

4. 금산 삼송주는 멥쌀, 인삼, 쑥 및 인삼누룩을 원료로 하여 1단 담금으로 발효시켜 여과한 알코올분 16도의 약주로 누룩 제조방법이 밀가루와 인삼을 반죽·성형하는 것이 특징

5. 깁슨(Gibson)은 칵테일 어니언(Cocktail onion)이 장식되는 대표적인 칵테일이다.

6. 부케(bouquet)란 와인이 숙성하면서 자연스럽게 주변 환경에서 와인에 스며드는 향을 말한다.

7. 헤비럼(Heavy Rum)은 단식증류기로 증류하여 오크통에서 최소4년 이상 저장, 숙성시켜풍미가 높고 색이 짙다. 헤비 럼은 다크럼(Dark rum)이라고도 한다.

8. 포터(Porter Beer) : 영국의 대표적인 상면발효 맥주로 맥아즙 농도, 발효도, 호프 사용량이 높고 캐러멜로 착색한 흑맥주이다.

9. Malt Whisky(몰트위스키)란 피트탄(peat, 석탄)으로 건조한 맥아의 당액을 발효해서 증류한 피트 향과 통의 향이 배인 독특한 맛의 위스키

10. 광범위한 약초와 향료(香料)를 사용하여 만든 이 프랑스산 리큐어의 명칭은 샤르트뢰즈란 수도원의 이름을 그대로 사용하고 있다(알코올 도수 45~55℃).

11. Draimbuie = Scotch whisk + Honey

12. 커피(Coffee)의 제조방법 중 디켄터식(decanter)은 포함되지 않는다.

13. Vin Mousseux는 프랑스 상파뉴(Champagne)지방 이외에서 생산되는 포말성 와인(Sparkling Wine)을 뜻한다.

14. 진의 어원은 두송 나무 열매를 뜻하는 프랑스어의 Genevrier에서 진이 되고 네덜란드 어로 바뀌어 Geneva 영어의 Gin이 되었다.

15. Margarita는 소금을 Cocktail Glass 가장자리에 Rimming하는 대표적인 칵테일이다.

16. 맨해탄은 버번위스키 베이스 칵테일이다.

17. 1 quart는 32oz, 960ML를 뜻한다.

18. 무알콜 음료의 총칭으로 Long Drink라 분류할 수는 없다.

19. Gin & Tonic은 Highball Glass에 Lemon Slice가 장식되는 칵테일이다.

20. Brandy(40%) > Galliano(35%) > Fortified Wine (18~20%) > Beer(4~8%)

21. 럼프 아이스(Lump Ice) - 덩어리 얼음

22. 리무진 오크 캐스크는 스카치위스키에서 전혀 사용하지 않는 방법은 아니지만 일반적으로 스카치위스키 보다는 프랑스의 브랜디 특히 코냑에 주로 사용되는 오크 캐스크다.

23. 작설차 = 비발효차

24. Brandy는 저장기간을 부호로 표시하며 그 부호가 나타내는 저장기간은 법적으로 정해져 있지 않다.

25. 홉(hop)이란 원산지는 유럽으로 맥주에 특이한 쓴맛과 향기를 주며 보존성을 증가시키고 또한 맥아즙의 단백질 제거를 하는 중요한 역할을 하는 불가결한 원료로 알코올의 농도와는 무관하다.

26. 부르고뉴 지역의 주요 4대 포도품종은 피노 누아르(Pinot Noir), 샤르도네(Chardonnay), 알리고떼(Aligoté), 가메이(Gamay)이다.

27. 위스키의 제조과정 = 맥아 - 당화 - 발효 - 증류 - 숙성

28. 혼성주(醍造酒)와 증류주(蒸留酒)에다 과실류나 초목, 향초를 혼합하여 만드는데 적정량의 감미(甘味)와 착색(着色)을 하여 만든다. 즉 곡류는 해당하지 않는다.

29. 독일와인은 1879년에 원산지 호칭 통제법을 제정하여 1982년에 현재의 법으로 시행되고 있다.

30. 셰이커(Shaker)의 결합 순서는 Body - Strainer - Cap이다.

31. bar spoon은 칵테일 조주시 사용되어지는 기구이다.

32. 바는 고객을 접객하는 곳으로 종업원만의 휴식공간이 아니다.

33. 포터필터의 구멍이 너무 큰 경우에는 라이트 크레마(Light Crema)가 추출된다.

34. 와인 보관 온도는 7~18℃가 가장 좋으며 습도는 60~80%가 적당하다.

35. 우드 머들러(Wood Muddler) 레몬이나 과일 등의 가니쉬를 으깰 때 쓰는 목재로 된 막대이다.

36. 가장 적절한 얼음 제빙기 설치 장소는 섭씨 10~ 25℃ 물이 공급되는 장소이다.

37. 바텐더(Bartender)는 칵테일 조주 시 항시 지거(Jigger)를 사용해야 한다. 이는 고객에게 정량으로 조주하고 있음을 보여주는 고객과의 신뢰이다.

38. 보졸레 누보는 그해 수확된 포도로 만든 햇와인으로 숙성시키지 않는다.

39. F. I. F. O란 선입선출(先入先出)(first-in, first-out)의 약어이다.

40. Snack Car는 주장의 종류에 해당되지 않는다.

41. Shaker는 다소 혼합하기 어려운 재료를 혼합할 때 사용되는 기구이다.

42. 브랜디는 향을 즐기는 음료로 글라스에 가득 채워 따라서는 안 된다.

43. 음료 관리에 매출은 포함되지 않는다.

44. 거래처의 상호는 구매명세서(Standard Purchase Specification)에 필수사항은 아니다.

45. 음료의 적정재고 수준 이상으로 과도할시 판매 기회가 상실되지는 않는다.

46. Pilsner Glass는 필젠 글라스로 "바닥 쪽으로 좁고 발이 달린 맥주잔"을 말한다. 맥주를 따르면 기포가 올라와 거품이 유지된다.

47. 주장 종사원(waiter)의 직무는 고객으로부터 주문을 받고 봉사한다.

48. Key Box나 Bottle Member제도는 음료의 판매회전을 촉진시킨다.

49. 코키지 차지[Corkage Charge]란 외부로부터 반입된 음료(Beverage Bring In)를 서브하고, 그에 대한 서비스 대가로 받는 요금이다.

50. 명세서·계산서·대금청구서를 겸한 선적서류로, 상거래용으로 쓰이는 상업송장(commercial invoice)과 영사송장(領事送狀 : consular invoice) 및 세관송장(customs invoice) 등의 공용송장(official invoice)으로 대별된다. 일반적으로 상업송장을 가리켜 단순히 송장이라고 한다.

51. stinger는 short drink이기 때문에 차갑게 제공되어야한다.

52. 늘 먹던 걸로 하겠습니다.

53. go bad는 '상했다'라는 뜻을 갖고 있다.

54. What are you looking for?는 당신은 무엇을 찾고 있습니까? 라는 의미이다.

55. Kiss of fire는 대표적인 Vodka-based cocktail이다.

56. 양조 과정에서 포도 압축 후에 얻어진 포도즙을 must라고 한다.

57. Bourbon, Lemon juice, Sugar가 들어가는 cocktail은 Whiskey sour이다.

58. Agave를 발효해 증류한 증류주는 Tequila이다.

59. 섞지 않고 서브할 수 있는 칵테일은 Floating 기법을 이용하는 B&B가 있다.

60. First come first served는 선착순을 의미한다.

2013년 제1회 조주기능사 필기시험 기출문제

분야		자격종목		수험번호		이름	

1. (Componded Liquor)에 대한 설명 중 틀린 것은?

　가. 칵테일 제조나 식후주로 사용된다.

　나. 발효주에 초근목피의 침출물을 혼합하여 만든다.

　다. 색채, 향기, 감미, 알코올의 조화가 잘 된 술이다.

　라. 혼성주는 고대 그리스 시대에 약용으로 사용되었다.

2. 커피의 향미를 평가하는 순서로 가장 적합한 것은?

　가. 미각(맛) → 후각(향기) → 촉각(입안의 느낌)

　나. 색 → 촉각(입안의 느낌) → 미각(맛)

　다. 촉각(입안의 느낌) → 미각(맛) → 후각(향기)

　라. 후각(향기) → 미각(맛) → 촉각(입안의 느낌)

3. 다음 중 혼성주에 해당되는 것은?

　가. Beer　　　　　나. Drambuie

　다. Olmeca　　　　라. Grave

4. 블렌디드(Blended) 위스키가 아닌 것은?

　가. Chivas Regal 18년　　나. Glenfiddich 15년

　다. Royal Salute 21년　　라. Dimple 12년

5. 증류주(Distilled Liquor)에 포함되지 않는 것은?

　가. 위스키(Whisky)　　나. 맥주(Beer)

　다. 브랜디(Brandy)　　라. 럼(Rum)

6. 리큐르(liqueur)가 아닌 것은?

　가. Benedictine　　　나. Anisette

　다. Augier　　　　　라. Absinthe

7. 브랜디(Brandy)와 코냑(Cognac)에 대한 설명으로 옳은 것은?

　가. 브랜디와 코냑은 재료의 성질에 차이가 있다.

　나. 코냑은 프랑스의 코냑지방에서 만들었다.

　다. 코냑은 브랜디를 보관 연도별로 구분한 것이다.

　라. 브랜디와 코냑은 내용물의 알코올 함량에 차이가 크다.

8. American Whiskey가 아닌 것은?

　가. Jim Beam　　　나. Wild Turkey

　다. Jameson　　　　라. Jack Daniel

9. 우리나라의 고유한 술 중 증류주에 속하는 것은?

　가. 경주법주　　　　나. 동동주

　다. 문배주　　　　　라. 백세주

10. 다음 중 그 종류가 다른 하나는?

가. Vienna coffee

나. Cappuccino coffee

다. Espresso coffee

라. Irish coffee

11. 독일의 리슬링(Riesling)와인에 대한 설명으로 틀린 것은?

가. 독일의 대표적 와인이다.

나. 살구향, 사과향 등의 과실향이 주로 난다.

다. 대부분 무감미 와인(Dry Wine)이다.

라. 다른 나라 와인에 비해 비교적 알코올 도수가 낮다.

12. 와인을 막고 있는 코르크가 곰팡이에 오염되어 와인의 맛이 변하는 것으로 와인에서 종이 박스 향취, 곰팡이 냄새 등이 나는 것을 의미하는 현상은?

가. 네고시앙(negociant)

나. 부쇼네(bouchonne)

다. 귀부병(noble rot)

라. 부케(bouquet)

13. 브랜디의 제조공정에서 증류한 브랜디를 열탕소독 한 White Oak Barrel에 담기 전에 무엇을 채워 유해한 색소나 이물질을 제거하는가?

가. Beer

나. Gin

다. Red Wine

라. White Wine

14. 탄산음료의 CO_2에 대한 설명으로 틀린 것은?

가. 미생물의 발육을 억제한다.

나. 향기의 변화를 예방한다.

다. 단맛과 부드러운 맛을 부여한다.

라. 청량감과 시원한 느낌을 준다.

15. 차의 분류가 옳게 연결된 것은?

가. 발효차 - 얼그레이

나. 불발효차 - 보이차

다. 반발효차 - 녹차

라. 후발효차 - 자스민

16. 셰리의 숙성 중 솔레라(solera) 시스템에 대한 설명으로 옳은 것은?

가. 소량씩의 반자동 블렌딩 방식이다.

나. 영(young)한 와인보다 숙성된 와인을 채워주는 방식이다.

다. 빈티지 셰리를 만들 때 사용한다.

라. 주정을 채워 주는 방식이다.

17. 다음 중 상면발효 맥주에 해당하는 것은?

가. Lager Beer

나. Porter Beer

다. Pilsner Beer

라. Dortmunder Beer

18. 럼(Rum)의 주원료는?

가. 대맥(Rye)과 보리(Barley)

나. 사탕수수(sugar cane)와 당밀(molasses)

다. 꿀(Honey)

라. 쌀(Rice)과 옥수수(Corn)

19. 리큐르(Liqueur)의 제조법과 가장 거리가 먼 것은?

가. 블렌딩법(Blending)

나. 침출법(Infusion)

다. 증류법(Distillation)

라. 에센스법(Essence process)

20. 다음에서 설명하는 프랑스의 기후는?

· 연평균 기온 11~12.5℃ 사이의 온화한 기후로 걸프스트림이라는 바닷바람의 영향을 받는다.
· 보르도, 코냑, 알마냑 지방 등에 영향을 준다.

가. 대서양 기후 　　　　 나. 내륙성 기후

다. 지중해성 기후 　　　　 라. 대륙성 기후

21. 와인 양조 시 1%의 알콜을 만들기 위해 약 몇 그램의 당분이 필요한가?

가. 1g / L 　　　　　　 나. 10g / L

다. 16.5g / L 　　　　　 라. 20.5g / L

22. 와인 테이스팅의 표현으로 가장 부적합한 것은?

가. Moldy(몰디) - 곰팡이가 낀 과일이나 나무 냄새

나. Raisiny(레이즈니) - 건포도나 과숙한 포도 냄새

다. Woody(우디) - 마른 풀이나 꽃 냄새

라. Corky(코르키) - 곰팡이 낀 코르크 냄새

23. 저온 살균되어 저장 가능한 맥주는?

가. Draught Beer

나. Unpasteurized Beer

다. Draft Beer

라. Lager Beer

24. 토닉 워터(tonic water)에 대한 설명으로 틀린 것은?

가. 무색투명한 음료이다.

나. Gin과 혼합하여 즐겨 마신다.

다. 식욕증진과 원기를 회복시키는 강장제 음료이다.

라. 주로 구연산, 감미료, 커피 향을 첨가하여 만든다.

25. 다음에서 설명하는 것은?

· 북유럽 스칸디나비아 지방의 특산주로 어원은 '생명의 물'이라는 라틴어에서 온 말이다.
· 제조과정은 먼저 감자를 익혀서 으깬 감자와 맥아를 당화, 발효시켜 증류시킨다.
· 연속증류기로 95%의 고농도 알코올을 얻은 다음 물로 희석하고 회향초 씨나, 박하, 오렌지 껍질 등 여러 가지 종류의 허브로 향기를 착향시킨 술이다.

가. 보드카(Vodka)

나. 럼(Rum)

다. 아쿠아비트(Aquavit)

라. 브랜디(Brandy)

26. 다음의 설명에 해당하는 혼성주를 옳게 연결한 것은?

① 멕시코산 커피를 주원료로 하여 Cocoa, Vanilla 향을 첨가해서 만든 혼성주이다.
② 야생오얏을 진에 첨가해서 만든 빨간색의 혼성주이다.
③ 이탈리아의 국민주로 제조법은 각종 식물의 뿌리, 씨, 향초, 껍질 등 70여 가지의 재료로 만들어지며 제조 기간은 45일이 걸리다.

가. ① 샤르뜨뢰즈(Chartreuse), ② 시나(Cynar) ③ 캄파리(Campari)

나. ① 파샤(Pasha), ② 슬로우 진(Sloe Gin) ③ 캄파리(Campari)

다. ① 칼루아(Kahlua), ② 시나(Cynar) ③ 캄파리(Campari)

라. ① 칼루아(Kahlua), ② 슬로우 진(Sloe Gin) ③ 캄파리(Campari)

27. 생강을 주원료로 만든 탄산음료는?

가. Soda Water 　　　　 나. Tonic Water

다. Perrier Water 　　　 라. Ginger Ale

28. 민속주 중 모주(母酒)에 대한 설명으로 틀린 것은?

　가. 조선 광해군 때 인목대비의 어머니가 빚었던 술이라고 알려져 있다.

　나. 증류해서 만든 제주도의 대표적인 민속주이다.

　다. 막걸리에 한약재를 넣고 끓인 해장술이다.

　라. 계피가루를 넣어 먹는다.

29. 와인을 분류하는 방법의 연결이 틀린 것은?

　가. 스파클링 와인 - 알코올 유무

　나. 드라이 와인 - 맛

　다. 아페리티프 와인 - 식사용도

　라. 로제 와인 - 색깔

30. 감미 와인(Sweet Wine)을 만드는 방법이 아닌 것은?

　가. 귀부포도(Noble rot Grape)를 사용하는 방법

　나. 발효 도중 알코올을 강화하는 방법

　다. 발효 시 설탕을 첨가하는 방법 (Chaptalization)

　라. 햇빛에 말린 포도를 사용하는 방법

31. 뜨거운 물 또는 차가운 물에 설탕과 술을 넣어서 만든 칵테일은?

　가. toddy　　　　　나. punch

　다. sour　　　　　라. sling

32. 믹싱글라스(Mixing Glass)에서 제조된 칵테일을 잔에 따를 때 사용하는 기물은?

　가. Measure Cup　　나. Bottle Holder

　다. Strainer　　　　라. Ice Bucket

33. Portable Bar에 포함되지 않는 것은?

　가. Room Service Bar　나. Banquet Bar

　다. Catering Bar　　　라. Western Bar

34. 와인은 병에 침전물이 가라앉았을 때 이 침전물이 글라스에 같이 따라지는 것을 방지하기 위해 사용하는 도구는?

　가. 와인 바스켓　　　나. 와인 디켄터

　다. 와인 버켓　　　　라. 코르크스크류

35. 다음 중 바텐더의 직무가 아닌 것은?

　가. 글라스류 및 칵테일용 기물을 세척 정돈한다.

　나. 바텐더는 여러 가지 종류의 와인에 대하여 충분한 지식을 가지고 서비스를 한다.

　다. 고객이 바 카운터에 있을 때는 바텐더는 항상 서 있어야 한다.

　라. 호텔 내외에서 거행되는 파티도 돕는다.

36. 생맥주(Draft Beer) 취급요령 중 틀린 것은?

　가. 2~3℃의 온도를 유지할 수 있는 저장시설을 갖추어야 한다.

　나. 술통 속의 압력은 12~14 pound로 일정하게 유지해야 한다.

　다. 신선도를 유지하기 위해 입고 순서와 관계없이 좋은 상태의 것을 먼저 사용한다.

　라. 글라스에 서비스할 때 3~4℃ 정도의 온도가 유지 되어야 한다.

37. 바 카운터의 요건으로 가장 거리가 먼 것은?

　가. 카운터의 높이는 1~1.5m 정도가 적당하며 너무 높아서는 안된다.

　나. 카운터는 넓을수록 좋다.

　다. 작업대(Working board)는 카운터 뒤에 수평으로 부착시켜야 한다.

　라. 카운터 표면은 잘 닦여지는 재료로 되어 있어야 한다.

38. 싱가폴 슬링(Singapore Sling) 칵테일의 재료로 적합하지 않은 것은?

가. 드라이 진(Dry Gin)

나. 체리 브랜디(Cherry-Flavored Brandy)

다. 레몬쥬스(Lemon Juice)

라. 토닉워터(Tonic Water)

39. 주장(Bar)에서 기물의 취급방법으로 틀린 것은?

가. 금이 간 접시나 글라스는 규정에 따라 폐기한다.

나. 은기물은 은기물전용 세척액에 오래 담가두어야 한다.

다. 크리스털 글라스는 가능한 손으로 세척 한다.

라. 식기는 같은 종류별로 보관하며 너무 많이 쌓아두지 않는다.

40. 저장관리원칙과 가장 거리가 먼 것은?

가. 저장위치 표시   나. 분류저장

다. 품질보전   라. 매상증진

41. 와인의 빈티지(Vintage)가 의미하는 것은?

가. 포도주의 판매 유효 연도

나. 포도의 수확 년도

다. 포도의 품종

라. 포도주의 도수

42. 스파클링 와인(Sparkling Wine) 서비스 방법으로 틀린 것은?

가. 병을 천천히 돌리면서 천천히 코르크가 빠지게 한다.

나. 반드시 '뻥'하는 소리가 나게 신경 써서 개봉한다.

다. 상표가 보이게 하여 테이블에 놓여있는 글라스에 천천히 넘치지 않게 따른다.

라. 오랫동안 거품을 간직 할 수 있는 풀루트(Flute)형 잔에 따른다.

43. 주장(Bar)에서 주문받는 방법으로 옳지 않은 것은?

가. 가능한 빨리 주문을 받는다.

나. 분위기나 계절에 어울리는 음료를 추천한다.

다. 추가 주문은 잔이 비었을 때에 받는다.

라. 시간이 걸리더라도 구체적이고 명확하게 주문받는다.

44. 칵테일 글라스를 잡는 부위로 옳은 것은?

가. Rim   나. Stem

다. Body   라. Bottom

45. 쿨러(cooler)의 종류에 해당되지 않는 것은?

가. Jigger cooler   나. Cup cooler

다. Beer cooler   라. Wine cooler

46. 다음 중 소믈리에(Sommelier)의 역할로 틀린 것은?

가. 손님의 취향과 음식과의 조화, 예산 등에 따라 와인을 추천한다.

나. 주문한 와인은 먼저 여성에게 우선적으로 와인 병의 상표를 보여주며 주문한 와인임을 확인시켜 준다.

다. 시음 후 여성부터 차례로 와인을 따르고 마지막에 그날의 호스트에게 와인을 따라준다.

라. 코르크 마개를 열고 주빈에게 코르크 마개를 보여주면서 시큼하고 이상한 냄새가 나지 않는지, 코르크가 잘 젖어있는지를 확인시킨다.

47. 다음 시럽 중 나머지 셋과 특징이 다른 것은?

가. grenadine syrup   나. can sugar syrup

다. simple syrup   라. plain syrup

48. 맨하탄 칵테일(Manhattan Cocktail)의 가니시(Garnish)로 옳은 것은?

　가. Cocktail Olive　　나. Pearl Onion

　다. Lemon　　　　　　라. Cherry

49. 바(Bar) 작업대와 가터레일(Gutter Rail)의 시설 위치로 옳은 것은?

　가. Bartender 정면에 시설되게 하고 높이는 술 붓는 것을 고객이 볼 수 있는 위치

　나. Bartender 후면에 시설되게 하고 높이는 술 붓는 것을 고객이 볼 수 없는 위치

　다. Bartender 우측에 시설되게 하고 높이는 술 붓는 것을 고객이 볼 수 있는 위치

　라. Bartender 죄측에 시설되게 하고 높이는 술 붓는 것을 고객이 볼 수 없는 위치

50. 와인의 마개로 사용되는 코르크 마개의 특성으로 가장 거리가 먼 것은?

　가. 온도변화에 민감하다.

　나. 코르크 참나무의 외피로 만든다.

　다. 신축성이 뛰어나다.

　라. 밀폐성이 있다.

51. What ia an alternative form of "I beg your pardon?"?

　가. Excuse me　　　나. Wait for me

　다. I'd like to know　라. Let me see

52. 다음 중 밑줄 친 change가 나머지 셋과 다른 의미로 쓰인 것은?

　가. Do you have change for a dollar?

　나. Keep the change.

　다. I need some change for the bus.

　라. Let's try a new restaurant for a change.

53. 다음 ( ) 안에 적합한 것은?

· Are you interested in ( )?

　가. make cocktail　　나. made cocktail

　다. making cocktail　라. a making cocktail

54. Which is the most famous orange flavored cognac liqueur?

　가. Grand Marnier　　나. Drambuie

　다. Cherry Heering　　라. Galliano

55. Which of the following is not fermented liquor?

　가. Aquavit　　　　나. Wine

　다. Sake　　　　　라. Toddy

56. Which is the correct one as a base of Bloody Mary in the following?

　가. Gin　　　　　나. Rum

　다. Vodka　　　　라. Tequila

57. ( ) 안에 알맞은 것은?

· ( ) is a spirits made by distilling wines or fermented mash of fruit.

　가. Liqueur　　　　나. Bitter

　다. Brandy　　　　라. Champagne

58. ( ) 안에 적합한 것은?

· A bartender must ( ) his helpers, waiters and waitress. He must also ( ) various kinds of records, such as stock control, inventory, daily sales report, purchasing report and so on.

가. take, manage   나. supervise, handle

다. respect, deal   라. manage, careful

59. 다음 ( ) 안에 적합한 것은?

· A bartender should be ( ) with the English names of all stores of liquors and mixed drinks.

가. familiar   나. warm

다. use   라. accustom

60. Which country does Campari come from?

가. Scotland   나. America

다. France   라. Italy

정답 및 해설

| 2013년 제1회 조주기능사 필기시험 기출문제 |

1	2	3	4	5	6	7	8	9	10
나	라	나	나	나	다	나	다	다	라
11	12	13	14	15	16	17	18	19	20
다	나	라	다	가	가	나	나	가	나
21	22	23	24	25	26	27	28	29	30
다	다	라	라	다	라	라	나	가	다
31	32	33	34	35	36	37	38	39	40
가	다	라	나	다	다	나	라	나	라
41	42	43	44	45	46	47	48	49	50
나	나	다	나	가	나	가	라	가	가
51	52	53	54	55	56	57	58	59	60
가	라	다	가	가	다	다	나	가	라

1. 혼성주는 발효주가 아닌 증류주에 초근목피의 침출물을 혼합하여 만든다.

2. 모든 음료의 가장 좋은 향미.평가 순서는 후각(향기) → 미각(맛) → 촉각(입안의 느낌) 순이다.

3. Drambuie는 스카치 위스키(Scotch Whisky)를 기주로 하여 꿀로 달게 한 오렌지향의 호박색 리큐어(Liqueur)이다.

4. Glenfiddich 15년은 싱글몰트 위스키이다.
싱글몰트 위스키 = 100% 보리(맥아)만을 증류한 위스키를 몰트위스키로 부르며 한 증류소에서 나온 몰트위스키를 싱글몰트위스키로 부른다.

5. 위스키(Whisky), 브랜디(Brandy), 럼(Rum)은 증류주(Distilled liquor)이며, 맥주(Beer)는 발효시키는 양조주에 포함된다.

6. Benedictine, Anisette, Absinthe는 리큐르이며 Augier는 코냑(Cognac)이다.

7. 코냑은 프랑스 코냑지방에서 만들어진것을 말하며, 그 외 지역에서 만들어진 것을 브랜디라한다.

8. Jameson은 아이리쉬(Irish)위스키이다.

9. 문배주는 48.1도의 도수에 달하는 증류주이다.

10. Irish coffee는 아이리쉬(Irish)위스키를 베이스로하는 알콜이 첨가된 칵테일이며, 나머지 셋은 알콜이 첨가되는 않은 커피이다.

11. 리슬링(Riesling)와인은 단맛과 신맛이 강한 와인이 많다.

12. 네고시앙(negociant)은 와인제조업자를 말하며, 귀부병(noble rot)은 포도껍질에 생성되는 일종의 곰팡이를 말하며, 부케(bouquet)는 와인이 향기를 말하다.

13. 브랜디의 제조공정에서 White Wine은 유해한 색소나 이물질을 제거하는 용도로 사용된다.

14. 탄산이 들어있기 때문에 부드러운 맛을 느끼기는 힘들다.

15. 보이차는 후발효차이며, 녹차는 불발효차이고, 자스민은 반발효차이다.

16. 오랜된 와인에 새로운 와인을 채워주는 방식으로 해마다 다를 수 있는 와인을 일정한 품질을 유지시키기 위해 행한다.

17. 나머지 셋은 하면발효 맥주이다.

18. 럼의 주원료는 사탕수수(sugar cane)와 당밀(molasses)이다.

19. 리큐르(Liqueur)의 제조법은 침출법(Infusion), 증류법(Distillation), 에센스법(Essence process)으로 구분된다.

20. 프랑스의 대서양 기후에 관한 설명이다.

21. 와인 양조 시 1%의 알코올을 만들기 위해서는 리터당 16.5g의 당분이 필요로 한다.

22. Woody(우디)는 와인용어로 와인에서 나무 향이 날 때 이런 표현을 쓴다.

23. Lager Beer(라거 비어), 병, 캔 등에 담은 후 가열하여 살균한 맥주.

24. 토닉 워터(tonic water), 소다에다 키니네(規郡皮의 엑기스), 레몬, 라임, 오렌지 등 과피의 엑기스와 당분을 배합한 것.

25. 아쿠아비트(Aquavit)에 관한 설명이다.

26. ① 칼루아(Kahlua), ② 슬로우 진(Sloe Gin ③ 캄파리(Campari)

27. 생강으로 만든 비등성 청량음료로 생산되는 생강의 향기를 나게 한 소다수에다 구연산(Citric Acid) 기타 향신료를 섞어 캐러멜 색소에 착색한 청량음료이다.

28. 모주(母酒), 백미 1말을 쪄서 누룩 5되와 섞어서 끓는 물을 쳐 가며 섞어 항아리에 담아 보리쌀 4말을 잘 씻은 후 물에 3-4일 담갔다가 보리쌀을 건져 쪄서 찬물을 뿌려 식히고 항아리에 첨가하였다가 10일 정도 숙성시킨 술.

29. 스파클링 와인 - 탄산 함유의 유무이다.

30. (Chaptalization)란 발효 전 또는 발효중인 포도의 과즙에 설탕을 첨가하여 포도주 안의 알코올 성분을 증가시키는 방법.

31. toddy(토디), 독한 술에 설탕과 뜨거운 물을 넣고 때로는 향신료도 넣어 만든 술.

32. Strainer = 얼음 거름망

33. Western Bar는 바(Bar)의 운영 형태(분류)중 하나이다.

34. 와인 디켄터 디캔터(포도주 등을 일반 병에서 따라 내어 상에 낼 때 또는 침전물이 글라스에 같이 따라지는 것을 방지하기 위해 사용하는 유리병.)

35. 호텔 내외에서 거행되는 파티는 바텐더의 직접적인 직무가 아니다.

36. 신선도를 유지하기 위해 입고 순서에 따라서 먼저 사용한다.

37. 바 카운터는 바텐더와 고객에게 알맞은 크기로 제작되어야 한다.

38. 토닉워터(Tonic Water)는 싱가폴 슬링(Singapore Sling)

칵테일의 재료로 적합하지 않다.

39. 은기물전용 세척액에 오래 담가두면 변색될 우려가 있다.

40. 저장관리원칙과 매상증진은 무관하다.

41. 와인의 빈티지(Vintage) = 포도의 수확 년도

42. 스파클링 와인(Sparkling Wine) 서비스 방법으로 반드시 '뻥'하는 소리가 나게 신경 써서 개봉한다는 적합하지 않다.

43. 추가 주문은 고객이 잔을 비우기 전에 의사를 묻는다.

44. Stem, 글라스의 기둥 부분으로 체온의 전달을 방지함과 위생적인 서브를 위한 부분이다.

45. Jigger cooler는 다른 예문과는 다르게 냉각의 의미를 뜻하지 않는다.

46. 주문한 와인은 주객에게 우선적으로 와인 병의 상표를 보여주며 주문한 와인임을 확인시켜 준다.

47. grenadine syrup 당밀에 석류를 원료로해서 만들어진 붉은 색을 가진 시럽.

48. 맨하탄 칵테일(Manhattan Cocktail)의 가니시(Garnish)로 Cherry가 사용된다.

49. Bartender 정면에 시설되게 하고 높이는 술 붓는 것을 고객이 볼 수 있는 위치가 적합하다.

50. 코르크 마개는 온도변화에 크게 민감하지 않는다.

51. Excuse me의 정중한 표현.

52. 다른 예문과는 다른 바꿈의 의미를 담고 있다.

53. making cocktail

54. Grand Marnier, 코냑에 오렌지 향을 가미한 프랑스산 리큐어.

55. Aquavit는 증류주이다.

56. Bloody Mary 칵테일의 기주는 Vodka이다.

57. 과실로부터 양조하여 증류주로 만든 것은 브랜디이다.

58. supervise, handle

59. familiar(익숙한, 친숙한)

60. Campari, 이탈리아의 가스파레 캄파리가 만든 리큐어의 브랜드.

2013년 제2회 조주기능사 필기시험 기출문제

분야		자격종목		수험번호		이름	

1. 잭 다니엘(Jack Daniel)과 버번 위스키 (Bourbon Whiskey)의 차이점은?

　가. 옥수수의 사용 여부

　나. 단풍나무숯을 이용한 여과 과정의 유무

　다. 내부를 불로 그을린 오크통에서 숙성시키는지의 여부

　라. 미국에서 생산되는지의 여부

2. 하이볼 글라스에 위스키 (40도) 1온스와 맥주(4도) 7온스를 혼합하면 알코올 도수는?

　가. 약 6.5도　　　　나. 약 7.5도

　다. 약 8.5도　　　　라. 약 9.5도

3. 다음에서 설명하고 있는 것은?

> · 키니네, 레몬, 라임 등 여러 가지 향료 식물 원료로 만들며 열대지방 사람들의 식욕증진과 원기를 회복시키는 강장제 음료이다.

　가. Cola　　　　　　나. Soda water

　다. Ginger ale　　　　라. Tonic water

4. 다음 주류 중 주재료로 곡식(Grain)을 사용할 수 없는 것은?

　가. Whisky　　　　　나. Gin

　다. Rum　　　　　　라. Vodka

5. 다음 중 아이리쉬 위스키(Irish Whisky)는?

　가. John Jameson　　나. Old Forester

　다. Old parr　　　　라. Imperial

6. 스카치 위스키를 기주로 하여 만들어진 리큐르는?

　가. 샤트루즈　　　　나. 드람부이

　다. 꼬앙뜨로　　　　라. 베네딕틴

7. 커피에 대한 설명으로 가장 거리가 먼 것은?

　가. 아라비카종의 원산지는 에티오피아이다.

　나. 초기에는 약용으로 사용하기도 했다.

　다. 발효와 숙성과정을 통하여 만들어진다.

　라. 카페인이 중추신경을 자극하여 피로감을 없애준다.

8. 맥주(Beer) 양조용 보리로 가장 거리가 먼 것은?

　가. 껍질이 얇고, 담황색을 하고 윤택이 있는 것

　나. 알맹이가 고르고 95% 이상의 발아율이 있는 것

　다. 수분 함유량은 10% 내외로 잘 건조된 것

　라. 단백질이 많은 것

9. 술과 체이서(Chaser)의 연결이 어울리지 않는 것은?

　가. 위스키 - 광천수　　나. 진 - 토닉워터

　다. 보드카 - 시드르　　라. 럼 - 오렌지 주스

10. 다음 중 호크 와인(Hock wine)이란?

　가. 독일 라인산 화이트 와인

　나. 프랑스 버건디산 화이트 와인

　다. 스페인 호크하임엘산 레드 와인

　라. 이탈리아 피에몬테산 레드 와인

11. 버번 위스키(Bourbon Whiskey)는 Corn 재료를 약 몇 % 이상 사용하는가?

　가. Corn 0.1%　　　　나. Corn 12%

　다. Corn 20%　　　　라. Corn 51%

12. Ginger ale에 대한 설명 중 틀린 것은?

　가. 생강의 향을 함유한 소다수이다.

　나. 알코올 성분이 포함된 영양음료이다.

　다. 식욕증진이나 소화제로 효과가 있다.

　라. Gin이나 Brandy와 조주하여 마시기도 한다.

13. 스카치 위스키(Scotch Whisky)의 유명상표와 거리가 먼 것은?

　가. 발렌타인 (Ballantine's)

　나. 커티 샥 (Cutty Sark)

　다. 올드 파 (Old Parr)

　라. 크라운 로얄 (Crown Royal)

14. 포도 품종의 그린 수확(Green Harvest)에 대한 설명으로 옳은 것은?

　가. 수확량을 제한하기 위한 수확

　나. 청포도 품종 수확

　다. 완숙한 최고의 포도 수확

　라. 포도원의 잡초제거

15. Tequila에 대한 설명으로 틀린 것은?

　가. Agave tequiliana 종으로 만든다.

　나. Tequila는 멕시코 전 지역에서 생산된다.

　다. Reposado는 1년 이하 숙성시킨 것이다.

　라. Anejo는 1년 이상 숙성시킨 것이다.

16. 다음 중 증류주에 속하는 것은?

　가. Beer　　　　　나. Sweet Vermouth

　다. Dry Sherry　　 라. Cognac

17. Malt Whisky 제조순서를 올바르게 나열한 것은?

① 보리(2조 보리)	② 침맥
③ 건조(피트)	④ 분쇄
⑤ 당화	⑥ 발효
⑦ 증류(단식증류)	⑧ 숙성
⑨ 병입	

　가. ① - ② - ③ - ④ - ⑤ - ⑥ - ⑦ - ⑧ - ⑨

　나. ① - ③ - ② - ④ - ⑤ - ⑥ - ⑦ - ⑧ - ⑨

　다. ① - ③ - ② - ④ - ⑥ - ⑤ - ⑦ - ⑧ - ⑨

　라. ① - ② - ③ - ④ - ⑥ - ⑤ - ⑦ - ⑧ - ⑨

18. 시대별 전통주의 연결로 틀린 것은?

　가. 한산소곡주 - 백제시대

　나. 두견주 - 고려시대

　다. 칠선주 - 신라시대

　라. 백세주 - 조선시대

19. 다음 중 싱글 몰트 위스키로 옳은 것은?

　가. Johnnie Walker　　나. Ballantine

　다. Glenfiddich　　　 라. Bell's Special

20. 음료에 함유된 성분이 잘못 연결된 것은?

가. Tonic Water - Quinine(Kinine)

나. Kahlua - Chocolate

다. Ginger Ale - Ginger Flavor

라. Collins Mixer - Lemon Juice

21. 풀케(Pulque)를 증류해서 만든 술은?

가. Rum 나. Vodka

다. Tequila 라. Aquavit

22. 다음에서 설명되는 약용주는?

· 충남 서북부 해안지방의 전통 민속주로 고려 개
국공신 복지겸이 백약이 무효인 병을 앓고 있을
때 백일 기도 끝에 터득한 비법에 따라 찹쌀, 아미
산의 진달래, 안샘물로 빚은 술을 마심으로 질병
을 고쳤다는 신비의 전설과 함께 전해 내려온다.

가. 두견주 나. 송순주

다. 문배주 라. 백세주

23. 다음 품목 중 청량음료에 속하는 것은?

가. 탄산수 (Sparkling Water)

나. 생맥주 (Draft Beer)

다. 톰 칼린스 (Tom collins)

라. 진 휘즈 (Gin Fizz)

24. 음료류와 주류에 대한 설명으로 틀린 것은?

가. 맥주에서는 메탄올이 전혀 검출되어서는
안된다.

나. 탄산음료는 탄산가스압이 0.5kg/㎠인 것을
말한다.

다. 탁주는 전분질 원료와 국을 주원료로 하여
술덧을 혼탁하게 제성한 것을 말한다.

라. 과일 · 채소류 음료에는 보존료로 안식향산
을 사용할 수 있다.

25. Red Wine의 품종이 아닌 것은?

가. Malbec

나. Cabernet Sauvignon

다. Riesling

다. Cabernet Franc

26. 진(Gin)의 설명으로 틀린 것은?

가. 진의 원산지는 네덜란드다.

나. 진은 프란시스쿠스 실비우스에 의해 만들
어졌다.

다. 진의 원료는 과일에다 Juniper berry를 혼합
하여 만들었다.

라. 소나무 향이 나는 것이 특징이다.

27. 다음 중 각국 와인의 설명이 잘못된 것은?

가. 모든 와인생산 국가는 의무적으로 와인의
등급을 표기해야 한다.

나. 프랑스는 와인의 Terroir를 강조한다.

다. 스페인과 포르투갈에서는 강화와인도 생산
한다.

라. 독일은 기후의 영향으로 White wine의 생
산량이 Red wine보다 많다.

28. 다음 리큐르(Liqueur) 중 그 용도가 다른 하
나는?

가. 드람뷔이(Drambuie)

나. 갈리아노(Galliano)

다. 시나(Cynar)

라. 꼬앙트루(Cointreau)

29. 다음 Whisky의 설명 중 틀린 것은?

가. 어원은 Aqua vitae가 변한 말로 생명의 물
이란 뜻이다.

나. 등급은 V.O, V.S.O.P, X.O 등으로 나누어
진다.

다. Canadian Whisky에는 Canadian Club,
Seagram's V.O, Crown Royal 등이 있다.

라. 증류 방법은 Pot Still과 Patent Still이다.

30. 다음 중 세리를 숙성하기에 가장 적합한 곳은?

　가. 솔레라(Solera)　　나. 보데가(Bodega)

　다. 꺄브(Cave)　　　라. 플로(Flor)

31. 조주를 하는 목적과 가장 거리가 먼 것은?

　가. 술과 술을 섞어서 두 가지 향의 배합으로 색다른 맛을 얻을 수 있다.

　나. 술과 소프트 드링크 혼합으로 좀 더 부드럽게 마실 수 있다.

　다. 술과 기타 부재료를 가미하여 좀 더 독특한 맛과 향을 창출해 낼 수 있다.

　라. 원가를 줄여서 이익을 극대화할 수 있다.

32. 다음 중 휘젓기(Stirring) 기법으로 만드는 칵테일이 아닌 것은?

　가. Manhattan　　　나. Martini

　다. Gibson　　　　라. Gimlet

33. 바(Bar)에서 사용하는 Wine Decanter의 용도는?

　가. 테이블용 얼음 용기

　나. 포도주를 제공하는 유리병

　다. 펀치를 만들 때 사용하는 화채 그릇

　라. 포도주병 하나를 눕혀 놓을 수 있는 바구니

34. 주장(Bar)을 의미하는 것이 아닌 것은?

　가. 주류를 중심으로 한 음료 판매가 가능한 일정시설을 갖추어 판매하는 공간

　나. 고객과 바텐더 사이에 놓인 널판을 의미

　다. 주문과 서브가 이루어지는 고객들의 이용 장소

　라. 조리 가능한 시설을 갖추어 음료와 식사를 제공하는 장소

35. 위생적인 주류 취급방법 중 틀린 것은?

　가. 먼지가 많은 양주는 깨끗이 닦아 Setting 한다.

　나. 백포도주의 적정냉각온도는 실온이다.

　다. 사용한 주류는 항상 뚜껑을 닫아 둔다.

　라. 창고에 보관할 때는 Bin Card를 작성한다.

36. 바텐더가 지켜야 할 규칙사항으로 가장 적합한 것은?

　가. 고객이 바 카운터에 있으면 앉아서 대기해야 한다.

　나. 고객이 권하는 술은 고마움을 표시하고 받아 마신다.

　다. 매출을 위해서 고객에게 고가의 술을 강요한다.

　라. 근무 중에는 금주와 금연을 원칙으로 한다.

37. 표준 레시피(Standard Recipes)를 설정하는 목적에 대한 설명 중 틀린 것은?

　가. 품질과 맛의 계속적인 유지

　나. 특정인에 대한 의존도를 높임

　다. 표준 조주법 이용으로 노무비 절감에 기여

　라. 원가계산을 위한 기초 제공

38. Onion 장식을 하는 칵테일은?

　가. Margarita　　　나. Martini

　다. Rob Roy　　　라. Gibson

39. Strainer의 설명으로 가장 적합한 것은?

　가. Mixing Glass와 함께 Stir기법에 사용한다.

　나. 재료를 저을 때 사용한다.

　다. 혼합하기 힘든 재료를 섞을 때 사용한다.

　라. 재료의 용량을 측정할 때 사용된다.

40. 칵테일의 기본 5대 요소와 가장 거리가 먼 것은?

가. Decoration(장식)　　나. Method(방법)

다. Glass(잔)　　　　　라. Flavor(향)

41. 다음 중 High ball glass를 사용하는 칵테일은?

가. 마가리타(Margarita)

나. 키르 로열(Kir Royal)

다. 씨 브리즈(Sea breeze)

라. 블루 하와이(Blue Hawaii)

42. (A), (B), (C)에 들어갈 말을 순서대로 나열한 것은?

· (A)는 프랑스어의 (B)에서 유래된 말로 고객과 바텐더 사이에 가로질러진 널판을 (C)라고 하던 개념이 현재에 와서는 술을 파는 식당을 총칭하는 의미로 사용되고 있다.

가. Flair, Bariere, Bar

나. Bar, Bariere, Bar

다. Bar, Bariere, Bartender

라. Flair, Bariere, Bartender

43. 칵테일 조주 시 각종 주류와 부재료를 재는 포준용량 계량기는?

가. Hand Shaker　　　나. Mixing Glass

다. Squeezer　　　　　라. Jigger

44. 연회용 메뉴 계획 시 에피타이저 코스 주류로 알맞은 것은?

가. Cordials　　　　　나. Port wine

다. Dry sherry　　　　라. Cream sherry

45. 바(Bar)에서 하는 일과 가장 거리가 먼 것은?

가. Store에서 음료를 수령한다.

나. Appetizer를 만든다.

다. Bar Stool을 정리한다.

라. 음료 Cost 관리를 한다.

46. 주장의 캡틴(Bar Captain)에 대한 설명으로 틀린 것은?

가. 영업을 지휘 · 통제한다.

나. 서비스 준비사항과 구성인원을 점검한다.

다. 지배인을 보좌하고 업장 내의 관리업무를 수행한다.

라. 고객으로부터 직접 주문을 받고 서비스 등을 지시한다.

47. 주장관리에서 핵심적인 원가의 3요소는?

가. 재료비, 인건비, 주장경비

나. 세금, 봉사료, 인건비

다. 인건비, 주세, 재료비

라. 재료비, 세금, 주장경비

48. 식사 중 여러 가지 와인을 서빙 시 적합한 방법이 아닌 것은?

가. 화이트 와인은 레드 와인보다 먼저 서비스한다.

나. 드라이 와인을 스위트 와인보다 먼저 서비스한다.

다. 맛이 가벼운 와인을 맛이 중후한 와인보다 먼저 서비스한다.

라. 숙성기간이 오래된 와인을 숙성기간이 짧은 와인보다 먼저 서비스한다.

49. 주장의 영업 허가가 되는 근거 법률은?

가. 외식업법　　　　　나. 음식업법

다. 식품위생법　　　　라. 주세법

50. 글라스 세척 시 알맞은 세제와 세척순서로 짝지어진 것은?

가. 산성세제 - 더운물 - 찬물

나. 중성세제 - 찬물 - 더운물

다. 산성세제 - 찬물 - 더운물

라. 중성세제 - 더운물 - 찬물

51. Which is the liquor made by the rind of grape in Italy?

가. Marc 　　　　　나. Grappa

다. Ouzo 　　　　　라. Pisco

52. 다음에서 설명하는 혼성주로 옳은 것은?

· The elixir of "perfect love" is a sweet, perfumed liqueur with hints of flowers, spices, and fruit, and a mauve color that apparently had great appeal to women in the nineteenth century.

가. Triple Sec 　　　　나. Peter Heering

다. Parfait Amour 　　라. Southern Comfort

53. 다음 (　)안에 알맞은 단어와 아래의 상황 후 Jenny가 Kate에게 할 말의 연결로 가장 적합한 것은?

· Jenny comes back with a magnum and glasses carried by a barman. She sets the glasses while the barman opens the bottle. There is a loud "(　)" and the cork hits Kate who jumps up with a cry. The champagne spills all over the carpet.

가. peep - Good luck to you.

나. ouch - I am sorry to hear that.

다. tut - How awful !

라. pop - I am very sorry. I do hope you are not hurt

54. Table wine에 대한 설명으로 틀린 것은?

가. It is a wine term which is used in two different meanings in different countries: to signify a wine style and as a quality level within wine classification.

나. In the United States, it is primarily used as a designation of a wine style, and refers to "ordinary wine", which is neither fortified nor sparkling.

다. In the EU wine regulations, it is used for the higher of two overall quality categories for wine.

라. It is fairly cheap wine that is drunk with meals.

55. 다음 B에 가장 적합한 대답은?

A : What do you do for a living?
B :

가. I'm writing a letter to my mother

나. I can't decide.

다. I work for a bank.

라. Yes, thank you.

56. 다음 (　)안에 알맞은 것은?

· (　) is distilled spirits from the fermented juice of sugarcane or other sugarcane by-products.

가. whisky 　　　　나. vodka

다. gin 　　　　　　라. rum

57. Which is the best term used for the preparing of daily products?

가. Bar Purchaser 　　나. Par Stock

다. Inventory 　　　　라. Order Slip

58. 다음 ( )안에 가장 적합한 것은?

· May I have ( ) coffee, please?

가. some 　　　　나. many
다. to 　　　　　라. only

59. 다음은 무엇을 만들기 위한 과정인가?

1. First, take the cocktail shaker and half fill it with broken ice. Then add one ounce of lime juice.
2. After that put in one and a half ounce of rum and one tea spoon of powdered sugar.
3. Then shake it well and pass it through a strainer into a cocktail glass.

가. Bacardi 　　　　나. Cuba Libre
다. Blue Hawaiian 　　라. Daiquiri

60. Which is correct to serve wine?

가. When pouring, make sure to touch the bottle to the glass

나. Before the host has acknowledged and approved his selection, open the bottle.

다. All whites, roses, and sparkling wines are chilled. Red wine is served at room temperature.

라. The bottle of wine doesn't need to be presented to the host for verifying the bottle he or she ordered.

정답 및 해설

| 2013년 제2회 조주기능사 필기시험 기출문제 |

1	2	3	4	5	6	7	8	9	10
나	다	라	다	가	나	다	라	다	가
11	12	13	14	15	16	17	18	19	20
라	나	라	가	나	라	가	다	다	나
21	22	23	24	25	26	27	28	29	30
다	가	가	가	다	다	가	다	나	나
31	32	33	34	35	36	37	38	39	40
라	라	나	라	나	라	나	라	가	나
41	42	43	44	45	46	47	48	49	50
다	나	라	다	나	가	가	라	다	라
51	52	53	54	55	56	57	58	59	60
나	다	라	다	다	라	나	가	라	다

1. 단풍나무숯을 이용한 여과 과정의 유무가 잭 다니엘 (Jack Daniel)과 버번 위스키(Bourbon Whiskey)의 주된 구분점이다.

2. 재료알코올도수(위스키40도 × 사용량(30mL) +(맥주4도) x 시용량(210mL) / 총사용량(240mL)= 8.5도

3. Tonic water에 관한 설명이다.

4. Rum, 당밀이나 사탕수수의 즙을 발효시켜서 증류한 술

5. John Jameson, 아이리쉬 위스키(Irish Whisky)

6. 드람부이, 스카치위스키를 기본으로 하는 스코틀랜드 리큐어

7. 커피는 발효와 숙성과정을 거치지 않는다.

8. 단백질이 많은 것은 맥주를 혼탁하게 만든다.

9. 보드카 - 주스류가 적합하다.

10. Hock wine, 독일 라인산 화이트 와인.

11. 버번 위스키(Bourbon Whiskey)는 Corn 51%이상을 사용한다.

12. Ginger ale은 논 알코올의 생강의 향을 함유한 소다수이다.

13. 크라운 로얄 (Crown Royal)은 캐나다의 선두적인 프리미엄 위스키이다.

14. Green Harvest, 수확량을 제한하기 위한 수확.

15. Tequila는 멕시코 테킬라시에서만 생산된 것을 뜻한다.

16. Cognac, 프랑스의 중부 샹파뉴 지방의 항구마을인 코냑에서 생산되는 포도주를 원료로 한 브랜디. 브랜디는 과일의 발효액을 증류시켜 만든 술이다.

17. Malt Whisky 제조순서는 보리(2조 보리) - 침맥 - 건조 (피트) - 분쇄 - 당화 - 발효 - 증류(단식증류) - 숙성 - 병입의 순서다.

18. 칠선주 - 조선시대.

19. Glenfiddich, 싱글몰트 위스키.

20. Kahlua - 멕시코 원산 커피를 사용하여 강하고 진한 커피향이 특징.

21. 풀케(Pulque)를 증류해서 만든 술은 Tequila(테킬라)이다.

22. 두견주에 관한 설명이다.

23. 탄산수 (Sparkling Water)는 음료의 분류상 청량음료에 속한다.

24. 맥주에서는 소량의 메탄올이 함유되어 있다.

25. Riesling은 화이트 와인 품종이다.

26. 진(Gin)의 제조과정은 과실을 사용하지는 않는다.

27. 모든 와인생산 국가는 의무적으로 와인의 등급을 표기하지 않는다.

28. 시나(Cynar) 식전주로 적합하다.

29. V.O, V.S.O.P, X.O 등급은 브랜디에 관한 등급이다.

30. 보데가(Bodega) 스페인어로 "와인 저장창고"를 말한다.

31. 조주를 하는 목적과 원가절감은 무관하다.

32. Gimlet, 쉐이킹(흔들기) 기법을 사용하여 만든다.

33. Wine Decanter, 포도주를 제공하는 유리병.

34. 조리 가능한 시설을 갖추어 음료와 식사를 제공하는 장소는 레스토랑이다.

35. 백포도주의 적정냉각온도는 실온보다 다소 낮은 5~18도이다.

36. 가, 나, 다 모두 바텐더의 근무수칙에 위배된다.

37. 특정인에 대한 의존도를 낮추기 위해서 표준 레시피(Standard Recipes)를 설정하는 것이다.

38. Gibson, Onion 장식을 하는 칵테일.

39. Strainer, Mixing Glass와 함께 Stir기법에 사용하며, 글라스에 얼음을 걸러 따를 때 사용한다.

40. Method(방법)은 칵테일의 기본 5대 요소와 거리가 있다.

41. 씨 브리즈(Sea breeze)는 High ball glass에 빌드기법으로 제공되는 칵테일이다.

42. Bar, Bariere, Bar.

43. Jigger. 칵테일을 만들 때 용량을 재는 기구.

44. Dry sherry, 주로 식전에 제공되는 스페인산 주정강화와인.

45. Appetizer를 만드는 곳은 레스토랑이다.

46. 영업을 지휘·통제하는 역할은 바 매니저의 역할이다.

47. 주장 원가 3요소, 재료비, 인건비, 주장경비.

48. 숙성기간이 짧은 와인을 먼저 서비스한다.

49. 주장의 영업 허가가 되는 근거 법률은 식품위생법이다.

50. 중성세제 - 더운물 - 찬물

51. Grappa, 포도를 압착 후 나머지를 증류한 것으로 숙성하지 않아서 무색의 이탈리아 브랜디.

52. Parfait Amour에 관한 설명이다.

53. pop – I am very sorry. I do hope you are not hurt.

54. Table wine은 EU wine regulations(EU와인규정 범위)에 속하지 않는다.

55. I work for a bank.

56. rum, 럼, 당밀이나 사탕수수의 즙을 발효시켜서 증류한 술.

57. Par Stock, 저장되어 있는 적정 재고량.

58. some.

59. Daiquiri 제조과정을 설명.

60. All whites, roses, and sparkling wines are chilled. Red wine is served at room temperature.

2013년 제4회 조주기능사 필기시험 기출문제

분야		자격 종목		수험 번호		이름	

1. Aquavit에 대한 설명으로 틀린 것은?

　가. 감자를 맥아로 당화시켜 발효하여 만든다.

　나. 알코올 농도는 40 ~ 45% 이다.

　다. 엷은 노란색을 띄는 것을 taffel 이라고 한다.

　라. 북유럽에서 만드는 증류주이다.

2. 프리미엄 테킬라의 원료는?

　가. 아가베 아메리카나

　나. 아가베 아즐 테킬라나

　다. 아가베 아트로비렌스

　라. 아가베 시럽

3. 저먼 진(German gin)이라고 일컬어지는 Spirits는?

　가. 스타인헤거(Steinhager)

　나. 아쿠아비트(Aquavit)

　다. 키르슈(Kirsch)

　라. 후람보아즈(Framboise)

4. 다음 중 의미가 다른 것은?

　가. 섹(Sec)　　　　나. 두(Doux)

　다. 둘체(Dulce)　　라. 스위트(Sweet)

5. 빈티지(Vintage)란 무엇을 뜻하는가?

　가. 포도주의 이름

　나. 포도주의 수확년도

　다. 포도주의 원산지명

　라. 포도의 품종

6. 다음 중 White wine 품종은?

　가. Sangiovese　　나. Nebbiolo

　다. Barbera　　　라. Muscadelle

7. 다음 민속주 중 약주가 아닌 것은?

　가. 한산 소곡주　　나. 경주 교동법주

　다. 아산 연엽주　　라. 진도 홍주

8. 다음 중 이탈리아 와인 등급 표시로 맞는 것은?

　가. A.O.C.　　　　나. D.O.

　다. D.O.C.G.　　　라. QbA

9. 다음 중 버번 위스키(bourbon whiskey)는?

　가. Ballantine's　　나. I.W.Harper's

　다. Lord Calvert　　라. Old Bushmills

10. 다음 중 과실음료가 아닌 것은?

　가. 토마토주스　　나. 천연과즙주스

　다. 희석과즙음료　　라. 과립과즙음료

11. 다음 중 양조주에 대한 설명이 옳지 않은 것은?

　가. 맥주, 와인 등이 이에 속한다.

　나. 증류주와 혼성주의 제조원료가 되기도 한다.

　다. 보존기간이 비교적 짧고 유통기간이 있는 것이 많다.

　라. 발효주라고도 하며 알코올발효는 효모에 의해서만 이루어진다.

12. 에스프레소의 커피추출이 빨리되는 원인이 아닌 것은?

　가. 너무 굵은 분쇄입자

　나. 약한 탬핑 강도

　다. 너무 많은 커피 사용

　라. 높은 펌프 압력

13. Sherry wine의 원산지는?

　가. Bordeaux 지방

　나. Xeres 지방

　다. Rhine 지방

　라. Hockheim 지방

14. 콘 위스키(corn whiskey)란?

　가. 50% 이상 옥수수가 포함된 것

　나. 옥수수 50%, 호밀 50% 섞인 것

　다. 80% 이상 옥수수가 포함된 것

　라. 40% 이상 옥수수가 포함된 것

15. 독일의 스파클링 와인은?

　가. 젝트　　　　　　　나. 로트바인

　다. 로제바인　　　　　라. 바이스바인

16. 다음 중 증류주가 아닌 것은?

　가. 보드카(vodka)

　나. 샴페인(champagne)

　다. 진(gin)

　라. 럼(rum)

17. 가장 오랫동안 숙성한 브랜디(Brandy)는?

　가. V.O.　　　　　　　나. V.S.O.P

　다. X.O.　　　　　　　라. EXTRA

18. 생강을 주원료로 만든 것은?

　가. 진저엘　　　　　　나. 토닉워터

　다. 소다수　　　　　　라. 칼린스 믹서

19. 탄산음료에서 탄산가스의 역할이 아닌 것은?

　가. 당분 분해

　나. 청량감 부여

　다. 미생물의 발효 저지

　라. 향기의 변화 보호

20. 다음 중 알코올성 커피는?

　가. 카페 로얄(Cafe Royale)

　나. 비엔나 커피(Vienna Coffee)

　다. 데미타세 커피(Demi-Tasse Coffee)

　라. 카페오레(Cafe au Lait)

21. 다음에서 설명하는 민속주는?

> · 호남의 명주로서 부드럽게 취하고 뒤끝이 깨끗하여 우리의 고유한 전통술로 정평이 나있고 쌀로 빚은 30도의 소주에 배, 생강, 울금 등 한약재를 넣어 숙성시킨 약주이다.

　가. 이강주　　　　　　나. 춘향주

　다. 국화주　　　　　　라. 복분자주

22. 양조주의 설명으로 맞지 않는 것은?

　가. 주로 과일이나 곡물을 발효하여 만든 술이다.

　나. 단발효주, 복발효주 2가지 방법이 있다.

　다. 양조주의 알코올 함유량은 대략 25% 이상이다.

　라. 발효하는 과정에서 당분이 효모에 의해 물, 에틸알코올, 이산화탄소가 발생한다.

23. 다음 중 리큐르(Liqueur)는 어느 것인가?

가. 버건디(Burgundy)

나. 드라이 쉐리(Dry sherry)

다. 꼬앵뜨로(Cointreau)

라. 베르무트(Vermouth)

24. 단식 증류법(pot still)의 장점이 아닌 것은?

가. 대량생산이 가능하다.

나. 원료의 맛을 잘 살릴 수 있다.

다. 좋은 향을 잘 살릴 수 있다.

라. 시설비가 적게 든다.

25. 슬로우 진(sloe gin)의 설명 중 옳은 것은?

가. 증류주의 일종이며, 진(gin)의 종류이다.

나. 보드카(vodka)에 그레나딘 시럽을 첨가한 것이다.

다. 아주 천천히 분위기 있게 먹는 칵테일이다.

라. 오얏나무 열매 성분을 진(gin)에 첨가한 것이다.

26. 다음 중 하면 발효 맥주에 해당 되는 것은?

가. Stout Beer

나. Porter Beer

다. Pilsner Beer

라. Ale Beer

27. Straight Whisky에 대한 설명으로 틀린 것은?

가. 스코틀랜드에서 생산되는 위스키이다.

나. 버번 위스키, 콘 위스키 등이 이에 속한다.

다. 원료곡물 중 한 가지를 51% 이상 사용해야 한다.

라. 오크통에서 2년 이상 숙성시켜야 한다.

28. 독일의 QmP 와인등급 6단계에 속하지 않는 것은?

가. 란트바인

나. 카비네트

다. 슈페트레제

라. 아우스레제

29. 브랜디의 설명으로 틀린 것은?

가. 브랜딩하여 제조한다.

나. 향미가 좋아 식전주로 주로 마신다.

다. 유명산지는 꼬냑과 아르마냑이다.

라. 과실을 주원료로 사용하는 모든 증류주에 이 명칭을 사용한다.

30. 음료에 관한 설명으로 틀린 것은?

가. 음료는 크게 알콜성 음료와 비알콜성 음료로 구분된다.

나. 알콜성 음료는 양조주, 증류주, 혼성주로 분류된다.

다. 커피는 영양음료로 분류된다.

라. 발효주에는 탁주, 와인, 청주, 맥주 등이 있다.

31. 칵테일을 컵에 따를 때 얼음이 들어가지 않도록 걸러주는 기구는?

가. shaker

나. strainer

다. stick

라. blender

32. 호텔에서 호텔홍보, 판매촉진 등 특별한 접대목적으로 일부를 무료로 제공하는 것은?

가. Complimentary Service

나. Complaint

다. F/O Cashier

라. Out of Order

33. 위스키가 기주로 쓰이지 않는 칵테일은?

가. 뉴욕(New York)

나. 로브 로이(Rob Roy)

다. 블랙러시안(Black Russian)

라. 맨하탄(Manhattan)

57

34. 다음 중 주장 관리의 의의에 해당되지 않는 것은?

가. 원가관리   나. 매상관리

다. 재고관리   라. 예약관리

35. 1 Jigger에 대한 설명 중 틀린 것은?

가. 1 Jigger는 45 mL이다.

나. 1 Jigger는 1.5 once이다.

다. 1 Jigger는 1 gallon이다.

라. 1 Jigger는 칵테일 제조 시 많이 사용된다.

36. 음료 저장 방법에 관한 설명 중 옳지 않은 것은?

가. 포도주병은 눕혀서 코르크 마개가 항상 젖어 있도록 저장한다.

나. 살균된 맥주는 출고 후 약 3개월 정도는 실온에서 저장할 수 있다.

다. 적포도주는 미리 냉장고에 저장하여 충분히 냉각시킨 후 바로 제공한다.

라. 양조주는 선입선출법에 의해 저장·관리한다.

37. 다음 중 mixing glass의 설명으로 옳은 것은?

가. 칵테일 조주시에 사용되는 글라스의 총칭이다.

나. Stir 기법에 사용하는 기물이다.

다. 믹서기에 부착된 혼합용기를 말한다.

라. 칵테일 혼합되는 과일을 으깰 때 사용한다.

38. 영업을 폐점하고 남은 물량을 품목별로 재고조사 하는 것을 무엇이라 하는가?

가. daily issue

나. par stock

다. inventory management

라. FIFO

39. 주스류(juice)의 보관 방법으로 가장 적절한 것은?

가. 캔 주스는 냉동실에 보관한다.

나. 한번 오픈한 주스는 상온에 보관한다.

다. 열기가 많고 햇볕이 드는 곳에 보관한다.

라. 캔 주스는 오픈한 후 유리그릇, 플라스틱 용기에 담아서 냉장 보관한다.

40. 바텐더(bartender)의 직무에 관한 설명으로 가장 거리가 먼 것은?

가. 바 카운터 내의 청결, 정리정돈 등을 수시로 해야한다.

나. 파 스탁(par stock)에 준한 보급수령을 해야 한다.

다. 조주는 바텐더 자신의 기준이나 아이디어에 따라 제조해야 한다.

라. 각종 기계 및 기구의 작동항태를 점검해야 한다.

41. 음료저장관리 방법 중 FIFO의 원칙을 적용하기에 가장 적합한 술은?

가. 위스키   나. 맥주

다. 브랜디   라. 진

42. 다음 중 셰이커(shaker)를 사용하여야 하는 칵테일은?

가. 브랜디 알렉산더(Brandy Alexander)

나. 드라이 마티니(Dry Martini)

다. 올드 패션드(Old fashioned)

라. 크렘드 망뜨 프라페(Creme de menthe frappe)

43. 주장의 시설에 대한 설명으로 잘못된 것은?

가. 주장은 크게 프런트 바(front bar), 백 바(back bar), 언더 바(under bar)로 구분된다.

나. 프런트 바(front bar)는 바텐더와 고객이 마주보고 서브하고 서빙을 받는 바를 말한다.

다. 백 바(back bar)는 칵테일용으로 쓰이는 술의 저장 및 전시를 위한 공간이다.

라. 언더 바(under bar)는 바텐더 허리 아래의 공간으로 휴지통이나 빈병 등을 둔다.

44. 구매관리와 관련된 원칙에 대한 설명으로 옳은 것은?

가. 나중에 반입된 저장품부터 소비한다.

나. 한꺼번에 많이 구매한다.

다. 공급업자와의 유대관계를 고려하여 검수 과정은 생략한다.

라. 저장창고의 크기, 호텔의 재무상태, 음료의 회전을 고려하여 구매한다.

45. Bar 종사원의 올바른 태도가 아닌 것은?

가. 영업장내에서 동료들과 좋은 인간관계를 유지한다.

나. 항상 예의바르고 분명한 언어와 태도로 고객을 대한다.

다. 고객과 정치성이 강한 대화를 주로 나눈다.

라. 손님에게 지나친 주문을 요구하지 않는다.

46. 주장(bar)의 핵심점검표 사항 중 영업에 관련한 법규상의 문제와 관계가 가장 먼 것은?

가. 소방 및 방화사항

나. 면허 및 허가사항

다. 위생 점검 필요사항

라. 예산집행에 관한 사항

47. Hot drink cocktail이 아닌 것은?

가. God Father

나. Irish Coffee

다. Jamaican Coffee

라. Tom and Jerry

48. 다음 중 주장 종사원(waiter/waitress)의 주요 임무는?

가. 고객이 사용한 기물과 빈 잔을 세척한다.

나. 칵테일의 부재료를 준비한다.

다. 창고에서 주장(bar)에서 필요한 물품을 보급한다.

라. 고객에게 주문을 받고 주문받은 음료를 제공한다.

49. 바텐더의 영업 개시 전 준비사항이 아닌 것은?

가. 모든 부재료를 점검한다.

나. White wine을 상온에 보관하고 판매한다.

다. Juice 종류는 다양한지 확인한다.

라. 칵테일 네프킨과 코스터를 준비한다.

50. 주장(bar) 경영에서 의미하는 "happy hour"를 올바르게 설명한 것은?

가. 가격할인 판매시간

나. 연말연시 축하 이벤트 시간

다. 주말의 특별행사 시간

라. 단골고객 사은 행사

51. ( ) 안에 알맞은 리큐르는?

· ( ) is called the queen of liqueur. This is one of the French traditional liqueur and is made from several years aging after distilling of various herbs added to spirit.

가. Chartreuse　　　나. Benedictine

다. Kummel　　　　라. Cointreau

52. 다음의 ( )안에 들어갈 적합한 것은?

· ( ) whisky is a whisky which is distilled and produced at just one particular distillery. ( )s are made entirely from one type of malted grain, traditionally barley, which is cultivated in the region of the distillery.

가. grain　　　　　나. blended

다. single malt　　라. bourbon

53. 다음은 커피와 관련한 어떤 과정을 설명한 것인가?

· The heating process that releases all the potential flavors locked in green beans.

가. Cupping 나. Roasting

다. Grinding 라. Brewing

54. 다음의 ( )안에 들어갈 적합한 것은?

A : Do you have a new job?
B : Yes, I ( ) for a wine bar now.

가. do 나. take

다. can 라. work

55. 다음에서 설명하는 것은?

· It is a liqueur made by orange peel originated from Venezuela.

가. Drambuie 나. Jägermeister

다. Benedictine 라. Curacao

56. Which one is the cocktail containing Creme de Cassis and white wine?

가. Kir 나. Kir royal

다. Kir imperial 라. King Alfonso

57. 다음 밑줄 친 단어와 바꾸어 쓸 수 있는 것은?

A : Would you like some more drinks?
B : No, thanks. I've had enough.

가. care in 나. care of

다. care to 라. care for

58. 밑줄 친 곳에 들어갈 가장 알맞은 말은?

A : May I take your order?
B : Yes, please.
A :
B : I'd like to have Bulgogi.

가. Do you have a table for three?

나. Pass me the salt, please.

다. How do you like your steak?

라. What would you like to have?

59. Which one is made with ginger and sugar?

가. Tonic wate 나. Ginger ale

다. Sprite 라. Collins mix

60. 다음 빈칸에 들어갈 적합한 말로 바르게 짝 지어진 것은?

W : Would you like a dessert?
G : Yes, please. Could you tell us what you have ((a)).
W : Certainly. ((a)) we have fruit salad, chocolate gateau, and lemon pie.
G : The gateau looks nice but what is ((b))?
W : ((b)) there is fresh fruit, cheesecake, and profiteroles.
G : I think I'll have them, please, with chocolate sauce.

가. (a) on it, (b) under

나. (a) on the top, (b) underneath

다. (a) on the top, (b) under

라. (a) over, (b) below

정답 및 해설

| 2013년 제4회 조주기능사 필기시험 기출문제 |

1	2	3	4	5	6	7	8	9	10
다	나	가	가	나	라	라	다	나	가
11	12	13	14	15	16	17	18	19	20
라	다	나	다	가	나	라	가	가	가
21	22	23	24	25	26	27	28	29	30
가	다	다	가	라	다	가	가	나	다
31	32	33	34	35	36	37	38	39	40
나	가	다	라	다	다	나	다	라	다
41	42	43	44	45	46	47	48	49	50
나	가	라	라	다	라	가	라	나	가
51	52	53	54	55	56	57	58	59	60
가	다	나	라	라	가	라	라	나	나

1. Taffel은 무색, 투명한 아쿠아비트(Aquavit)를 뜻한다.

2. 프리미엄 테킬라의 원료로는 테킬라 마을에서 재배되는 아가베 아즐 데킬라나(Agave Azul Tequilana)의 품종만으로 만들어진다.

3. 스타인헤거(Steinhager)는 독일산 진이다. 독일진의 경우 만드는 방법이 매우 독특하다. 우선 쥬니퍼베리를 으깨어 발효시켜 증류하여 중성알코올을 첨가하여 단식증류기로 재증류한다.

4. 섹(sec)은 '단맛이 없고 건조한'이란 프랑스어로 와인의 드라이한 상태를 말한다.

5. 빈티지(Vintage)란 프랑스의 벵당즈(Vendange)와 동일한 뜻으로 포도의 수확 혹은 포도의 수확기를 말한다.

6. 뮈스까델(Muscadelle)은 White wine 품종으로 주로 보르도와 도르도뉴(Dordogne) 지방에서 재배된다.

7. 진도홍주는 고려 때 중국 원나라에서 들어왔다는 소주에서 그 근원을 찾을 수 있다.

8. D.O.C.G는 이탈리아 와인 중 최고등급에 속하는 것으로 D.O.C인가를 받은 와인 중 농림부의 추천을 받아 법률로 품질기준을 규정한 우량 와인만으로 선정된 명칭.

9. I.W.Harper는 벨하임이 미국에 가서 개명한 성을 따서 만든 것으로 독일계 아이쟈크 왈프와 베르날드 벨하임 2세가 협력하여 만든 버번위스키이다.

10. 토마토 주스는 토마토를 이용해 만든 야채주스이다.

11. 알코올 발효는 당 또는 다당에서 에탄올과 이산화탄소를 생성하는 발효. 젖산발효와 더불어 발효의 대표적인 것이다.

12. 많은 커피의 사용량은 오히려 추출시간을 늦출 수 있다.

13. 쉐리와인(Sherry wine)은 발효가 끝난 일반 와인에 브랜디를 첨가하여 알코올 도수를 높인 스페인 Xeres지방 와인이다.

14. 콘 위스키(Corn Whiskey)란 80%이상 포함된 옥수수를 원료로 3년 정도 숙성한것이다.

15. 젝트란 독일과 오스트리아에서 "발포성(Sparkling) 와인"을 총칭하는 말이다.

16. 프랑스의 샹파뉴(Champagne)지역에서 생산된 스파클링 와인(Sparkling Wine)을 샴페인이라고 총칭한다.

17. EXTRA = 70~75년

18. 진저엘은 생강의 향기를 나게 한 소다수(Soda Water)에다 구연산(Citric Acid : 시트르산) 기타 향신료를 섞어 캐러멜 색소에 착색한 청량음료이다.

19. 당분 분해는 탄산음료의 역할이 아니다.

20. 카페 로얄(cafe Royale) 진하게 추출한 커피 잔 위에 브랜디(꼬냑)을 한스푼 정도 적신 설탕에 불을 붙여 알코올을 날린 후 스푼을 넣어 섞어서 마시는 칵테일이다.

21. 이강주는 배[이(梨)]와 생강[강(薑)]이 들어갔다 하여 붙여진 이름이다.

22. 양조주는 보편적으로 알코올 함유량이 3~16% 정도로 비교적 낮다.

23. 꼬앵뜨로(Cointreau)는 프랑스에서 생산하는 최고급 오렌지 리큐어

24. 대량생산이 가능한 것은 연속식증류법(Patent Still)의 장점이다.

25. 슬로우 진(sloe gin)은 오얏나무 열매 성분을 진(gin)에 첨가한 것.

26. Pilsner Beer는 맥주를 저온에서 발효시킨 뒤 효모가 가라앉는 맥주로 실온에서 발효시켜 효모가 뜨는 상면발효에 비해 알코올이 5~10%로 비교적 낮고 부드러운 맛과 향기를 지닌다.

27. 스코틀랜드에서 생산되는 위스키는 스카치위스키라 칭한다.

28. 란트바인은 프랑스의 V.D.P(Vin de Pays)와 같은 것으로 이른바 시골의 와인의 성격을 가진다. 이에는 규제가 거의 없거나 아주 느슨한 형편이다.

29. 브랜디는 식후주로 적합하다.

30. 커피는 기호음료로 분류된다.

31. 칵테일을 컵에 따를 때 얼음이 들어가지 않도록 걸러주는 기구는 스트레이너다.

32. 무료로 제공하는 '컴플리먼트리 서비스(Comp-limentary Service)'라는 제도.

33. 블랙러시안(Black Russian)은 보드카 베이스의 칵테일이다.

34. 예약관리는 주장관리 의의에 직접적으로 해당되지 않는다.

35. 1 gallon은 3,785mL이다.

36. 적포도주는 통상적으로 실온에 제공된다.

37. 믹서기에 부착된 혼합용기는 컨테이너라고 칭한다.

38. 인벤토리 메니지먼트(inventory management) 영업을 폐점하고 남은 물량을 품목별로 재고조사 하는 것.

39. 올바른 주스류의 보관방법 중 캔 주스는 오픈한 후 유리그릇, 플라스틱 용기에 담아서 냉장 보관한다.

40. 조주는 표준레시피에 의한 조주방식을 택한다.

41. 맥주는 예문중 유통기한이 가장 짧은 주류로 FIFO의 원칙에 따른 회전을 기준으로 한다.

42. 브랜디 알렉산더(Brandy Alexander)는 쉐이킹 기법을 사용하는 칵테일이다.

43. 언더 바(under bar)는 바(Bar)의 간이 창고 역할을 한다.

44. 올바른 구매 관리는 저장창고의 크기, 호텔의 재무상태, 음료의 회전을 고려하여 구매한다.

45. 정치성이 강한 대화는 고객과의 마찰을 불러 일으킬 수 있는 소지가 있으니 가급적이면 피하는 것이 좋다.

46. 예산집행에 관한 사항은 법규상의 문제와 관계가 가장 멀다.

47. 1972년에 상영된 영화 〈대부(The Godfather)〉를 기념하여 만들어진 이 칵테일은 얼음과 함께 온더락(on the rock) 스타일로 제공된다.

48. 가, 나, 다는 바텐더(Bartender)의 주요임무이다.

49. 화이트 와인(White wine)은 실온보다 다소 차갑게(6~8도) 보관하여 서비스한다.

50. 해피 아워(happy hour)란 가격할인 판매시간을 뜻한다.

51. 리큐어 샤르트뢰즈(Chartreuse)에 관한 설명이다.

52. 싱글몰트에 관한 설명이다.

53. 로스팅(Roasting)에 관한 설명이다.

54. 괄호안에 알맞은 단어는 work이다.

55. 베네수엘라 원산의 오렌지 과피를 함유한 리큐어는 큐라소(Curacao)이다.

56. 크렘 드 카시스와 화이트 와인이 제공되는 칵테일은 'Kir'이다.

57. 밑줄 친 단어와 바꿀 수 있는 것은 'care for'이다.

58. 밑줄 친 곳에 들어갈 가장 알맞은 말은 What would you like to have?이다.

59. 생강과 설탕이 함유된 음료는 진저 엘(Ginger ale)이다.

60. 빈칸에 들어갈 적합한 말로 바르게 짝지어진 것은 (a) on the top, (b) underneath이다.

2013년 제5회 조주기능사 필기시험 기출문제

분야		자격종목		수험번호		이름	

1. 부르고뉴(Bourgogne) 지방과 함께 대표적인 포도주 산지로서 Medoc, Graves 등이 유명한 지방은?

① Pilsner   ② Bordeaux

③ Staut   ③ Mousseux

2. Gin에 대한 설명으로 틀린 것은?

① 저장 · 숙성을 하지 않는다.

② 생명의 물이라는 뜻이다.

③ 무색 · 투명하고 산뜻한 맛이다.

③ 알코올 농도는 40~50% 정도이다.

3. 일반적인 병맥주 (Lager Beer)를 만드는 방법은?

① 고온발효   ② 상온발효

③ 하면발효   ③ 상면발효

4. 샴페인에 관한 설명 중 틀린 것은?

① 샴페인은 포말성 (Sparkling)와인의 일종이다

② 샴페인 원료는 피노 노아, 미노 뫼니에, 샤르도네이다.

③ 동 페리뇽(Dom perignon)에 의해 만들어졌다.

③ 샴페인 산지인 샹파뉴 지방은 이탈리아 북부에 위치하고 있다.

5. 다음 중 Irish Whiskey는?

① Johnnie Walker Blue

② John Jameson

③ Wild Turkey

③ Crown Royal

6. 다음은 어떤 포도품종에 관하여 설명한 것인가?

· 작은 포도알, 깊은 적갈색, 두꺼운 껍질, 많은 씨앗이 특징이며 씨앗은 타닌함량을 풍부하게 하고, 두꺼운 껍질은 색깔을 깊이 있게 나타낸다. 블랙 커런트, 체리, 자두 향을 지니고 있으며, 대표적인 생산지역은 프랑스 보르도 지방이다.

① 메를로(Merlot)

② 삐노 느와르(Pinot Noir)

③ 까베르네 쇼비뇽(Cabernet Sauvignon)

③ 샤르도네(Chardonnay)

7. 다음 중 블렌디드(Blended) 위스키가 아닌 것은?

① Johnnie Walker Blue

② Cutty Sark

③ Macallan 18

③ Ballentine's 30

8. 오렌지향이 가미된 혼성주가 아닌 것은?

① Triple Sec ② Tequila

③ Grand Marnier ③ Cointreau

9. 혼성주의 제조방법 중 시간이 가장 많이 소요되는 방법은?

① 증류법 (Distillation process)

② 침출법 (Infusion process)

③ 추출법 (Percolation process)

③ 배합법 (Essence process)

10. 북유럽 스칸디나비아 지방의 특산주로 감자와 맥아를 주재료로 사용하여 증류 후에 회향초 씨(Caraway Seed) 등 여러 가지 허브로 향기를 착향시킨 술은?

① 보드카 (Vodka)

② 진 (Gin)

③ 데킬라 (Tequila)

③ 아쿠아비트 (Aquavit)

11. 혼성주의 설명으로 틀린 것은?

① 증류주에 초근목피의 침출물로 향미를 더한다.

② 프랑스에서는 꼬디알이라 부른다.

③ 제조방법으로 침출법, 증류법, 에센스법이 있다.

③ 중세 연금술사들에 의해 발견되었다.

12. 우리나라의 전통주가 아닌 것은?

① 이강주 ② 과하주

③ 죽엽청주 ③ 송순주

13. 차를 만드는 방법에 따른 분류와 대표적인 차의 연결이 틀린 것은?

① 불발효차-보성녹차

② 반발효차-오룡차

③ 발효차-다즐링차

③ 후발효차-쟈스민차

14. 지방의 특산 전통주가 잘못 연결된 것은?

① 금산 - 인삼주 ② 홍천 - 옥선주

③ 안동 - 송화주 ③ 전주 - 오곡주

15. 탄산음료의 종류가 아닌 것은?

① 진저엘 ② 카린스 믹스

③ 토닉워터 ③ 리까르

16. 핸드 드립 커피의 특성이 아닌 것은?

① 비교적 조리 시간이 오래 걸린다.

② 대체로 메뉴가 제한된다.

③ 블렌딩한 커피만을 사용한다.

③ 추출자에 따라 커피맛이 영향을 받는다.

17. 차나무의 분포 지역분포지역을 가장 잘 표시한 것은?

① 남위 20° ~ 북위 40° 사이의 지역

② 남위 23° ~ 북위 43° 사이의 지역

③ 남위 26° ~ 북위 46° 사이의 지역

③ 남위 25° ~ 북위 50° 사이의 지역

18. 다음 중 리큐르(Liqueur)의 종류에 속하지 않는 것은?

① Creme de Cacao ② Curacao

③ Negroni ③ Dubonnet

19. 커피 로스팅의 정도에 따라 약한 순서에서 강한 순서대로 나열한 것으로 옳은 것은?

① American Roasting → German Roasting → French Roasting → Italian Roasting

② German Roasting → Italian Roasting → American Roasting → French Roasting

③ Italian Roasting → German Roasting → American Roasting → French Roasting

③ French Roasting → American Roasting → Italian Roasting → German Roasting

20. 좋은 맥주용 보리의 조건으로 알맞은 것은?

① 껍질이 두껍고 윤택이 있는 것

② 알맹이가 고르고 발아가 잘 안되는 것

③ 수분 함유량이 높은 것

③ 전분 함유량이 많은 것

21. 증류주가 사용되지 않은 칵테일은?

① Manhattan

② Rusty Nail

③ Irish Coffee

③ Grasshopper

22. 꿀로 만든 리큐르(Liqueur)는?

① Creme de Menthe

② Curacao

③ Galliano

③ Drambuie

23. 음료의 역사에 대한 설명으로 틀린 것은?

① 기원전 6000년경 바빌로니아 사람들은 레몬과즙을 마셨다.

② 스페인 발렌시아 부근의 동굴에서는 탄산가스를 발견해 마시는 벽화가 있다.

③ 바빌로니아 사람들은 밀빵이 물에 젖어 발효된 맥주를 발견해 음료로 즐겼다.

③ 중앙아시아 지역에서는 야생의 포도가 쌓여 자연 발효된 포도주를 음료로 즐겼다.

24. 다음 중 상면발효맥주가 아닌 것은?

① 에일

② 복

③ 스타우트

③ 포터

25. 증류쥬가 아닌 것은?

① 풀케

② 진

③ 데킬라

③ 아쿠아비트

26. 몰트 위스키의 제조과정에 대한 설명으로 틀린 것은?

① 정선 - 불량한 보리를 제거한다.

② 침맥 - 보리를 깨끗이 씻고 물을 주어 발아를 준비한다.

③ 제근 - 맥아의 뿌리를 제거시킨다.

③ 당화 - 효모를 가해 발효시킨다.

27. 다음 중 레드와인용 포도 품종이 아닌 것은?

① 리슬링(Riesling)

② 메를로(Merlot)

③ 삐노 누아(Pinot Noir)

③ 카베르네 쇼비뇽(Cabernet Sauvignon)

28. Vodka에 속하는 것은?

① Bacardi

② Stolichnaya

③ Blanton's

③ Beefeater

29. 다음 중 리큐르(Liqueur)와 관계가 없는 것은?

① Cordials

② Arnaud de Villeneuve

③ Benedictine

③ Dom Perignon

30. 다음 중 단발효법으로 만들어진 것은?

① 맥주　　　　　② 청주

③ 포도주　　　　③ 탁주

31. 주로 추운 계절에 추위를 녹이기 위하여 외출이나 등산 후에 따뜻하게 마시는 칵테일로 가장 거리가 먼 것은?

① Irish Coffee　　② Tropical Cocktail

③ Rum Grog　　　③ Vin Chaud

32. 개봉한 뒤 다 마시지 못한 와인의 보관방법으로 옳지 않은 것은?

① Vacuum pump로 병 속의 공기를 빼낸다.

② 코르크로 막아 즉시 냉장고에 넣는다.

③ 마개가 없는 디캔터에 넣어 상온에 둔다.

③ 병속에 불활성 기체를 넣어 산소의 침입을 막는다.

33. 행사장에 임시로 설치해 간단한 주류와 음료를 판매하는 곳의 명칭은?

① Open Bar　　　② Dance Bar

③ Cash Bar　　　③ Lounge Bar

34. 주류의 Inventory Sheet에 표기되지 않는 것은?

① 상품명　　　　② 전기 이월량

③ 규격(또는 용량)　③ 구입 가격

35. 조주 시 필요한 쉐이커(Shaker)의 3대 구성요소의 명칭이 아닌 것은?

① 믹싱(Mixing)　　② 보디(Body)

③ 스트레이너(Strainer)　③ 캡(Cap)

36. 다음 중 올바른 음주방법과 가장 거리가 먼 것은?

① 술 마시기 전에 음식을 먹어서 공복을 피한다.

② 본인의 적정 음주량을 초과하지 않는다.

③ 먼저 알코올 도수가 높은 술부터 낮은 술로 마신다.

③ 술을 마실 때 가능한 천천히 그리고 조금씩 마신다.

37. Red Wine Decanting에 사용되지 않는 것은?

① Wine Cradle　　② Candle

③ Cloth Napkin　　③ Snifter

38. 생맥주를 중심으로 각종 식음료를 비교적 저렴하게 판매하는 영국식 선술집은?

① Saloon　　　　② Pub

③ Lounge bar　　③ Banquet

39. Stem Glass인 것은?

① Collins Glass

② Old Fashioned Glass

③ Straight up Glass

③ Sherry Glass

40. 바(Bar)의 업무 효율향상을 위한 시설물 설치방법으로 옳지 않은 것은?

① 얼음 제빙기는 가능한 바(Bar) 내에 설치한다.

② 바의 수도 시설은 믹싱 스테이션(Mixing Station)바로 후면에 설치한다.

③ 각 얼음은 아이스 텅(Ice Tongs)에다 채워 놓고 바(Bar) 작업대 옆에 보관한다.

③ 냉각기(Cooling Cabinet)는 주방 밖에 설치한다.

41. 식재료 원가율 계산 방법으로 옳은 것은?

① 기초재고 + 당기매입 - 기말재고

② (식재료 원가/총매출액) × 100

③ 비용 + (순이익/수익)

③ (식재료 원가/월매출액) ×30

42. 바(Bar) 기구가 아닌 것은?

① 믹싱 쉐이커(Mixing Shaker)

② 레몬 스퀴저(Lemon Squeezer)

③ 바 스트레이너(Bar Strainer)

③ 스테이플러(Stapler)

43. 칵테일을 만드는 기법으로 적당하지 않은 것은?

① 띄우기(Floating)　② 휘젓기(Stirring)

③ 흔들기(Shaking)　③ 거르기(Filtering)

44. 구매관리 업무와 가장 거리가 먼 것은?

① 납기관리

② 시장조사

③ 우량 납품업체 선정

③ 음료상품 판매촉진 기획

45. 다음 식품위생법상의 식품접객업의 내용으로 틀린 것은?

① 휴게음식점 영업은 주로 빵과 떡 그리고 과자와 아이스크림 류 등 과자점 영업을 포함한다.

② 일반음식점 영업은 음식 류만 조리 판매가 허용되는 영업을 말한다.

③ 단란주점영업은 유흥종사자는 둘 수 없으나 모든 주류의 판매 허용과 손님이 노래를 부르는 행위가 허용되는 영업이다.

③ 유흥주점영업은 유흥종사자를 두거나 손님이 노래를 부르거나 춤을 추는 행위가 허용되는 영업이다.

46. 물로 커피를 추출할 때 사용하는 도구가 아닌 것은?

① Coffee Urn　② Siphon

③ Dripper　③ French Press

47. Cork Screw의 사용 용도는?

① 와인의 병마개 오픈용

② 와인의 병마개용

③ 와인 보관용 그릇

③ 잔 받침대

48. 식재료가 소량이면서 고가인 경우나 희귀한 아이템의 경우에 검수 하는 방법으로 옳은 것은?

① 발췌 검수법　② 전수 검수법

③ 송장 검수법　③ 서명 검수법

49. 주장 경영 원가의 3요소로 가장 적합한 것은?

① 재료비, 노무비, 기타경비

② 재료비, 인건비, 세금

③ 재료비, 종사원 급여, 권리금

③ 재료비, 노무비, 월세와 관리비

50. 바텐더의 자세로 가장 바람직하지 못한 것은?

① 영업 전 후 Inventory 정리를 한다.

② 유통기한을 수시로 체크한다.

③ 손님과의 대화를 위해 뉴스, 신문 등을 자주 본다.

③ 고가의 상품을 판매를 위해 손님에게 추천한다.

51. Which one is the best harmony with gin?

① sprite　② ginger ale

③ cola　③ tonic water

52. 다음에서 설명하는 bitters는?

· It is made from a Trinidadian secret recipe.

① Peychaud's bitters

② Abbott's aged bitter

③ Orange bitters

③ Angostura bitters

53. "All tables are booked tonight" 과 의미가 같은 것은?

① All Books are on the table.

② There are a lot of tables here.

③ All tables are very dirty tonight.

③ there aren't any available tables tonight.

54. 아래의 대화에서 ( ) 안에 알맞은 단어로 짝지어 진 것은?

A : Let's go ( ) a drink after work, will you?
B : I don't ( ) like a drink today.

① for, feel   ② to, have

③ in, know   ③ of, give

55. ( )에 들어갈 단어로 옳은 것은?

· ( ) is a late morning meal between breakfast and lunch.

① Buffet

② Brunch

③ American breakfast

③ Continental breakfast

56. Please select the cocktail-based wine in the following.

① Mai-Tai   ② Mah-Jong

③ Salty-Dog   ③ Sangria

57. Which cocktail name means "Freedom"?

① God mother   ② Cuba libre

③ God father   ③ French kiss

58. "그걸로 주세요."라는 표현으로 가장 적합한 것은?

① I'll have this one.

② Give me one more.

③ That's please.

③ I already had one.

59. ( ) 안에 가장 알맞은 것은?

W : What would you like to drink, sir?
G : Scotch ( ) the rocks, please.

① in   ② with

③ on   ③ put

60. "How often do you drinks?" 의 대답으로 적합하지 않은 것은?

① Every day

② Once a week

③ About three times a month

③ After work

정답 및 해설

| 2013년 제5회 조주기능사 필기시험 기출문제 |

1	2	3	4	5	6	7	8	9	10
2	2	3	4	2	3	3	2	2	4
11	12	13	14	15	16	17	18	19	20
2	3	4	4	4	3	2	3	1	4
21	22	23	24	25	26	27	28	29	30
4	4	2	2	1	4	1	2	4	3
31	32	33	34	35	36	37	38	39	40
2	3	3	4	1	3	4	2	4	3
41	42	43	44	45	46	47	48	49	50
2	4	4	4	2	1	1	2	1	4
51	52	53	54	55	56	57	58	59	60
4	4	4	1	2	4	2	1	3	4

1. 부르고뉴 지방의 대표적인 와인 산지는 Bordeaux, Medoc, Graves 등이 있다.

2. Gin은 주니퍼(Juniper)의 불어인 Genievre에서 유래됐다.

3. 대부분의 병맥주는 하면 발효를 이용한다.

4. 샹파뉴 지방은 프랑스에 위치해 있다.

5. John Jameson은 대표적인 Irish Whiskey이다. 1 : 스코틀랜드, 3 : 미국, 4 : 캐나다

6. 프랑스 보르도의 대표적인 포도 품종으로 풍부한 타닌을 함유하고 있는 품종은 까베르네 쇼비뇽이다.

7. Macallan은 Single Malt Whisky이다.

8. Tequila는 증류주이다.

9. 침출법은 주정에 재료를 넣고 오랜 시간동안 우려내는 방법이다.

10. 스칸디나비아 지방의 대표적인 특산주는 아쿠아비트(Aquavit)이다.

11. 프랑스에서는 Liqueur라 부르고, 미국과 영국에서는 Cordial이라고 부른다.

12. 죽엽청은 중국 술이다.

13. 자스민 차는 반발효 차이다.

14. 전주의 특산 전통주는 이강주이다.

15. 리까르(Ricard)는 프랑스산 리큐어를 말한다.

16. 블랜딩을 하지 않은 커피도 사용한다.

17. 차나무의 자생 지역은 남위 23。~ 북위 43。 사이의 지역이다.

18. Negroni는 Gin base의 칵테일이다.

19. American Roasting → German Roasting → French Roasting → Italian Roasting

20. 맥주용 보리의 조건은 껍질이 얇고 발아가 잘 되는 것, 수분 함유량이 적은 보리가 적당하다.

21. Grasshopper 칵테일은 혼성주 베이스 칵테일이다.

22. Drambuie는 스카치 위스키에 봉밀을 첨가해 만든 리큐어이다.

23. 스페인에서 탄산가스를 마시는 벽화가 발견된 기록은 없다.

24. 대표적인 상면발효 맥주는 에일, 포터, 스타우트가 있다.

25. 풀퀘는 아가베를 발효시켜 만든 양조주이다.

26. 당화는 전분을 따뜻한 물에 침지시켜 전분을 당분으로 바꾸는 과정이다.

27. 리슬링은 대표적인 화이트 와인용 포도 품종이다.

28. Stolichnaya는 Absolut, Smirnoff등과 함께 대표적인 보드카이다.

29. Dom Perignon은 샴페인의 창시자이다.

30. 맥주, 청주, 탁주는 당화 과정을 거치기 때문에 복발효법이다.

31. Tropical cocktail은 열대 과일과 함께 블랜딩해서 차갑게 마시는 칵테일이다.

32. 마개가 없는 디켄터에 보관하면 와인이 산화되어 마시지 못하게 된다.

33. Cash bar의 설명이다.

34. 재고조사표(Inventory sheet)에 구입 가격은 포함되지 않는다.

35. 쉐이커는 Body, Strainer, Cap으로 구성된다.

36. 알코올 도수가 낮은 술부터 마시는 것이 좋다.

37. Snifter는 Brandy를 마실 때 사용되는 글래스이다.

38. 영국식 선술집을 Pub이라고 한다.

39. Collins, Old fashioned, Straight up glass는 Tumbler형 글래스이다.

40. 얼음은 Ice bucket에 채워놓는다. Ice Tongs는 얼음을 집는 집게이다.

41. 식재료 원가 공식은 (식재료 원가/총매출액) × 100이다.

42. Stapler는 'ㄷ'자 모양으로 생긴 철사 침(針)을 사용하여 서류 따위를 철하는 도구이다.

43. 칵테일을 만드는 5대 기법은 Shaking, Stirring, Building, Floating, Blending이 있다.

44. 음료상품 판매촉진 기획은 마케팅의 업무이다.

45. 일반음식점은 음식만이 아니라 주류 판매도 가능하다.

46. Coffee urn은 추출된 커피를 보관하는 용기이다.

47. Cork screw는 와인 마개를 오픈할 때 사용하는 도구이다.

48. 전수 검수법은 납품된 재료를 일일이 확인하는 방법으로 소량이나 고가의 재료를 확인할 때 사용하는 방법이다.

49. 원가 관리 3요소에는 재료비, 노무비, 주장경비(기타경비)가 있다.

50. 업장의 이익을 위해 고객에게 부담을 줘서는 안된다.

51. 진과 함께 가장 많이 음용되는 음료는 Tonic water가 있다.

52. 스페인의 Trinidad에서 만들어진 bitter는 Angostura bitter이다.

53. "오늘 밤 모든 테이블이 예약됐습니다." 와 같은 의미는 4이다.

54. 'Let's go for a drink~', 'I don't feel like~'가 적당한 표현이다.

55. 아침과 점심 식사 사이에 먹는 식사를 Brunch라 한다.

56. Sangria는 일반적으로 레드 와인에 각종 과실을 침지시켜 만드는 칵테일이다.

57. Cuba Libre는 쿠바의 독립을 기념하며 만들어진 칵테일이다.

58. "그걸로 주세요"라는 표현은 I'll have this one.이 적합하다.

59. 얼음 위에 술을 부어 마시는 방법을 on the rock이라 한다.

60. "술을 얼마나 자주 드세요?"의 대답으로 라번은 적합하지 않다.

2014년 제1회 조주기능사 필기시험 문제

분야		자격종목		수험번호		이름	

1. 프랑스 보르도(Bordeaux) 지방의 와인이 아닌 것은?

① 보졸레(Beaujolais), 론(Rhone)

② 메독(Medoc), 그라브(Grave)

③ 포므롤(Pomerol), 소테른(Sauternes)

④ 생떼밀리옹(Saint-Emilion), 바르삭(Barsac)

2. 스카치 위스키가 아닌 것은?

① Crown Royal   ② White Horse

③ Johnnie Walker   ④ VAT 69

3. 맥주의 효과와 가장 거리가 먼 것은?

① 항균 작용

② 이뇨 억제 작용

③ 식욕 증진 및 소화 촉진 작용

④ 신경 진정 및 수면 촉진 작용

4. 오렌지 과피, 회향초 등을 주원료로 만들며 알코올 농도가 24% 정도가 되는 붉은 색의 혼성주는?

① Beer   ② Drambuie

③ Campari   ④ Cognac

5. 커피를 주원료로 만든 리큐르는?

① Grand Marnier   ② Benedictine

③ Kahlua   ④ Sloe Gin

6. 다음에서 설명하고 있는 술은?

고구려의 술로 전해지며, 여름날 황혼 무렵에 찐 차좁쌀로 담가서 그 다음날 닭이 우는 새벽녘에 먹을 수 있도록 빚었던 술이다.

① 교동법주   ② 청명주

③ 소곡주   ④ 계명주

7. 다음 술 종류 중 코디얼(cordial)에 해당하는 것은?

① 베네딕틴(Benedictine)

② 골든스 론돈 드라이 진 (Gordons london dry gin)

③ 커티 샥(Cutty sark)

④ 올드 그랜드 대드(Old grand dad)

8. 독일와인의 분류 중 가장 고급와인의 등급 표시는?

① Q.b.A   ② Tafelwein

③ Landwein   ④ Q.m.P

9. 하면 발효 맥주가 아닌 것은?

① Lager beer   ② Porter beer

③ Pilsen beer   ④ Munchen beer

10. 조선시대의 술에 대한 설명으로 틀린 것은?

① 중국과 일본에서 술이 수입되었다.

② 술 빚는 과정에 있어 여러 번 걸쳐 덧술을 하였다.

③ 고려시대에 비하여 소주의 선호도가 높았다.

④ 소주를 기본으로 한 약용약주, 혼양주의 제조가 증가했다.

11. 음료에 대한 설명이 잘못된 것은?

① 진저엘(Ginger ale)은 착향 탄산음료이다.

② 토닉워터(Tonic Water)는 착향 탄산음료이다.

③ 세계 3대 기호음료는 커피, 코코아, 차(Tea)이다.

④ 유럽에서 Cider(또는 Cidre)는 착향 탄산음료이다.

12. 위스키(Whisky)와 브랜디(Brandy)에 대한 설명이 틀린 것은?

① 위스키는 곡물을 발효시켜 증류한 술이다.

② 캐나디언 위스키(Canadian Whisky)는 캐나다 산 위스키의 총칭이다.

③ 브랜디는 과실을 발효·증류해서 만든다.

④ 꼬냑(Cognac)은 위스키의 대표적인 술이다.

13. 레몬주스, 슈가시럽, 소다수를 혼합한 것으로 대용할 수 있는 것은?

① 진저엘　　　　　② 토닉워터

③ 칼린스 믹스　　　④ 사이다

14. 커피의 품종이 아닌 것은?

① 아라비카(Arabica)

② 로부스타(Robusta)

③ 리베리카(Riberica)

④ 우바(Uva)

15. 다음 광천수 중 탄산수가 아닌 것은?

① 셀처 워터(Seltzer Water)

② 에비앙 워터(Evian Water)

③ 초정약수

④ 페리에 워터(Perrier Water)

16. 이탈리아 와인 중 지명이 아닌 것은?

① 키안티　　　　　② 바르바레스코

③ 바롤로　　　　　④ 바르베라

17. 와인에 국화과의 아티초크(Artichoke)와 약초의 엑기스를 배합한 이태리산 리큐르는?

① Absinthe　　　　② Dubonnet

③ Amer picon　　　④ Cynar

18. 다음 중 식전주(Aperitif)로 가장 적합하지 않은 것은?

① Campari　　　　② Dubonnet

③ Cinzano　　　　④ Sidecar

19. 브랜디의 제조순서로 옳은 것은?

① 양조작업 - 저장 - 혼합 - 증류 - 숙성 - 병입

② 양조작업 - 증류 - 저장 - 혼합 - 숙성 - 병입

③ 양조작업 - 숙성 - 저장 - 혼합 - 증류 - 병입

④ 양조작업 - 증류 - 숙성 - 저장 - 혼합 - 병입

20. 다음 중 Bitter가 아닌 것은?

① Angostura　　　② Campari

③ Galliano　　　　④ Amer Picon

21.Tequila에 대한 설명으로 틀린 것은?

① Tequila 지역을 중심으로 지정된 지역에서만 생산된다.

② Tequila를 주원료로 만든 혼성주는 Mezcal 이다.

③ Tequila는 한 품종의 Agave만 사용된다.

④ Tequila는 발효 시 옥수수당이나 설탕을 첨가할 수도 있다.

22.증류주에 대한 설명으로 옳은 것은?

① 과실이나 곡류 등을 발효시킨 후 열을 가하여 분리한 것이다.

② 과실의 향료를 혼합하여 향기와 감미를 첨가한 것이다.

③ 주로 맥주, 와인, 양주 등을 말한다.

④ 탄산성 음료는 증류주에 속한다.

23.리큐르의 제조법이 아닌 것은?

① 증류법　　　　　② 에센스법
③ 믹싱법　　　　　④ 침출법

24.와인 제조 시 이산화황(SO₂)을 사용하는 이유가 아닌 것은?

① 항산화제 역할　　② 부패균 생성 방지
③ 갈변 방지　　　　④ 효모 분리

25.진(Gin)의 상표로 틀린 것은?

① Bombay Sapphire　② Gordon's
③ Smirnoff　　　　　④ Beefeater

26.소다수에 대한 설명 중 틀린 것은?

① 인공적으로 이산화탄소를 첨가한다.

② 약간의 신맛과 단맛이 나며 청량감이 있다.

③ 식욕을 돋우는 효과가 있다.

④ 성분은 수분과 이산화탄소로 칼로리는 없다.

27.와인에 관한 용어 설명 중 틀린 것은?

① 탄닌(tannin) - 포도의 껍질, 씨와 줄기, 오크 통에서 우러나오는 성분

② 아로마(aroma) - 포도의 품종에 따라 맡을 수 있는 와인의 첫 번째 냄새 또는 향기

③ 부케(bouquet) - 와인의 발효과정이나 숙성과정 중에 형성되는 복잡하고 다양한 향기

④ 빈티지(vintage) - 포도주 제조년도

28.다음 중 혼성주가 아닌 것은?

① Apricot brandy　　② Amaretto
③ Rusty nail　　　　④ Anisette

29.다음 중 코냑이 아닌 것은?

① Courvoisier　　　② Camus
③ Mouton Cadet　　④ Remy Martin

30.맥주의 재료인 호프(hop)의 설명으로 옳지 않은 것은?

① 자웅이주 식물로서 수꽃인 솔방울 모양의 열매를 사용한다.

② 맥주의 쓴맛과 향을 낸다.

③ 단백질을 침전·제거하여 맥주를 맑고 투명하게 한다.

④ 거품의 지속성 및 항균성을 부여한다.

31.다음 음료 중 냉장 보관이 필요 없는 것은?

① White Wine　　　② Dry Sherry
③ Beer　　　　　　④ Brandy

32.칵테일 조주 시 사용되는 다음 방법 중 가장 위생적인 방법은?

① 손으로 얼음을 Glass에 담는다.

② Glass 윗부분(Rine)을 손으로 잡아 움직인다.

③ Garnish는 깨끗한 손으로 Glass에 Setting 한다.

④ 유효기간이 지난 칵테일 부재료를 사용한다.

33. 주장요원의 업무규칙에 부합하지 않는 것은?

① 조주는 규정된 레시피에 의해 만들어져야
한다.

② 요금의 영수 관계를 명확히 하여야 한다.

③ 음료의 필요재고보다 두 배 이상의 재고를
보유하여야 한다.

④ 고객의 음료 보관 시 명확한 표기와 보관을
책임진다.

34. 와인을 주재료(wine base)로 한 칵테일이
아닌 것은?

① 키어(Kir)

② 블루 하와이(Blue hawaii)

③ 스프리처(Sprizer)

④ 미모사(Mimosa)

35. 물품검수 시 주문내용과 차이가 발견될 때
반품하기 위하여 작성하는 서류는?

① 송장(invoice)

② 견적서(price quotation sheet)

③ 크레디트 메모(Credit memorandum)

④ 검수보고서(receiving sheet)

36. 고객에게 음료를 제공할 때 반드시 필요치
않은 비품은?

① Cocktail Napkin　　② Can Opener

③ Muddler　　　　　④ Coaster

37. 칵테일 부재료 중 spice류에 해당되지 않는
것은?

① Grenadine syrup　　② Mint

③ Nutmeg　　　　　④ Cinnamon

38. Wine 저장에 관한 내용 중 적절하지 않는 것은?

① White Wine은 냉장고에 보관하되 그 품목에
맞는 온도를 유지해 준다.

② Red Wine은 상온 Cellar에 보관하되 그 품목
에 맞는 적정온도를 유지해 준다.

③ Wine을 보관하면서 정기적으로 이동 보관
한다.

④ Wine 보관 장소는 햇볕이 잘 들지 않고 통풍
이 잘되는 곳에 보관하는 것이 좋다.

39. 주장원가의 3요소로 가장 적합한 것은?

① 인건비, 재료비, 주장경비

② 인건비, 재료비, 세금봉사료

③ 인건비, 재료비, 주세

④ 인건비, 재료비, 세금

40. Muddler에 대한 설명으로 옳은 것은?

① 설탕이나 장식과일 등을 으깨거나 혼합할
때 사용한다.

② 칵테일 장식에 체리나 올리브 등을 찔러 장
식할 때 사용한다.

③ 규모가 큰 얼음덩어리를 잘게 부술 때 사용
한다.

④ 술의 용량을 측정할 때 사용한다

41. 연회용 메뉴 계획시 에피타이저 코스에 술
을 권유하려 할 때 다음 중 가장 적합한 것
은?

① 리큐르(liqueur)

② 크림 쉐리(cream sherry)

③ 드라이 쉐리(dry sherry)

④ 포트 와인(port wine)

42. 주장(bar) 영업종료 후 재고조사표를 작성하
는 사람은?

① 식음료 매니저　　② 바 매니저

③ 바 보조　　　　　④ 바텐더

43. 화이트와인 서비스과정에서 필요한 기물과 가장 거리가 먼 것은?

① Wine cooler ② Wine stand

③ Wine basket ④ Wine opener

44. 일과 업무 시작 전에 바(bar)에서 판매 가능한 양만큼 준비해 두는 각종의 재료를 무엇이라고 하는가?

① Bar Stock ② Par Stock

③ Pre-Product ④ Ordering Product

45. 흔들기(Shaking)에 대한 설명 중 틀린 것은?

① 잘 섞이지 않고 비중이 다른 음료를 조주할 때 적합하다.

② 롱 드링크(long drink) 조주에 주로 사용한다.

③ 애플마티니를 조주할 때 이용되는 기법이다.

④ 쉐이커를 이용한다.

46. 칵테일 글라스(Cocktail Glass)의 3대 명칭이 아닌 것은?

① 베이스(Base) ② 스템(Stem)

③ 보울(Bowl) ④ 캡(Cap)

47. 싱가포르 슬링(Singapore Sling) 칵테일의 장식으로 알맞은 것은?

① 시즌과일(season fruits) ② 올리브(olive)

③ 필 어니언(peel onion) ④ 계피(cinnamon)

48. 네그로니(Negroni) 칵테일의 조주 시 재료로 가장 적합한 것은?

① Rum 3/4oz, Sweet Vermouth 3/4oz, Campari 3/4oz, Twist of lemon peel

② Dry Gin 3/4oz, Sweet Vermouth 3/4oz, Campari 3/4oz, Twist of lemon peel

③ Dry Gin 3/4oz, Dry Vermouth 3/4oz, Grenadine Syrup 3/4oz, Twist of lemon peel

④ Tequila 3/4oz, Sweet Vermouth 3/4oz, Campari 3/4oz, Twist of lemon peel

49. 브랜디 글라스(Brandy Glass)에 대한 설명으로 틀린 것은?

① 코냑 등을 마실 때 사용하는 튤립형의 글라스이다.

② 향을 잘 느낄 수 있도록 만들어졌다.

③ 기둥이 긴 것으로 윗부분이 넓다.

④ 스니프터(snifter)라고도 하며 밑이 넓고 위는 좁다.

50. Cocktail Shaker에 넣어 조주하는 것이 부적합한 재료는?

① 럼(Rum)

② 소다수(Soda Water)

③ 우유(Milk)

④ 달걀 흰자

51. Which one is made with vodka and coffee liqueur?

① Black russian ② Rusty nail

③ Cacao fizz ④ Kiss of fire

52. Which of the following doesn't belong to the regions of France where wine is produced?

① Bordeaux ② Burgundy

③ Champagne ④ Rheingau

53. 다음에서 설명하는 것은?

· When making a cocktail, this is the main ingredient into which other things are added.

① base   ② glass

③ straw   ④ decoration

54. Which is the correct one as a base of Port Sangaree in the following?

① Rum   ② Vodka

③ Gin   ④ Wine

55. 다음 ( )안에 들어갈 알맞은 것은?

· This is our first visit to Korea and before we (   ) our dinner, we want to (   ) some domestic drinks here.

① have, try   ② having, trying

③ serve, served   ④ serving, be served

56. "a glossary of basic wine terms" 의 연결로 틀린 것은?

① Balance : the portion of the wine's odor derived from the grape variety and fermentation.

② Nose : the total odor of wine composed of aroma, bouquet, and other factors.

③ Body : the weight or fullness of wine on palate.

④ Dry : a tasting term to denote the absence of sweetness in wine.

57. 다음에서 설명하는 것은?

· An anise-flavored, high-proof liqueur now banned due to the alleged toxic effects of wormwood, which reputedly turned the brains of heavy users to mush.

① Curacao   ② Absinthe

③ Calvados   ④ Benedictine

58. 다음에서 설명하는 것은?

· A honeydew melon flavored liqueur from the Japanese house of Suntory.

① Midori   ② Cointreau

③ Grand Marnier   ④ Apricot Brandy

59. 다음 ( )에 알맞은 단어는?

· Dry gin merely signifies that the gin lacks (   ).

① sweetness   ② sourness

③ bitterness   ④ hotness

60. 다음 ( )안에 들어갈 알맞은 것은?

· (   ) is a Caribbean coconut-flavored rum originally from Barbados.

① Malibu   ② Sambuca

③ Maraschino   ④ Southern Comfort

정답 및 해설

| 2014년 제1회 조주기능사 필기시험 기출문제 |

1	2	3	4	5	6	7	8	9	10
1	1	2	3	3	4	1	4	2	1
11	12	13	14	15	16	17	18	19	20
4	4	3	4	2	4	4	4	2	3
21	22	23	24	25	26	27	28	29	30
2	1	3	4	3	2	4	3	3	1
31	32	33	34	35	36	37	38	39	40
4	3	3	2	2	4	1	3	1	1
41	42	43	44	45	46	47	48	49	50
3	4	3	2	2	4	1	2	3	2
51	52	53	54	55	56	57	58	59	60
1	4	1	4	1	1	2	1	1	1

1. 론(Rhone)은 프랑스 남부지역으로 론 강의 강가 220km에 걸쳐 42,000헥타르(1hectare=3,000평)의 포도밭에서 보르도 다음으로 많은 와인을 생산한다.

2. Crown Royal(크라운 로얄)은 Crown Royal은 1939년 영국 왕 조지 6세와 여왕 엘리자베스의 역사적인 캐나다 방문을 기념하기 위해 특별히 제조된 캐나디안 위스키이다.

3. 맥주는 알코올 성분이 적은 편이나 이산화탄소와 홉의 쓴맛을 함유하고 있어 소화촉진과 이뇨작용을 돕는다.

4. Campari(캄파리)는 이탈리아의 가스파레 캄파리가 만든 리큐어의 브랜드로 허브, 향신료, 식물의 뿌리, 과일 껍질, 나무껍질 등 60 가지 이상의 재료를 알코올, 물 등과 혼합하여 만든다.

5. Kahlua(칼루아)는 테킬라, 커피, 설탕을 주성분으로 만들어진 멕시코산의 커피 리큐어(Liqueur)를 말한다.

6. 저녁에 술을 빚으면 새벽닭이 올 때 먹을 수 있다 하여 '계명주(鷄鳴酒)'라 한다.

7. Benedictine(베네딕틴)은 여러 가지 약초로 착향(着香) 시킨 가장 오래된 리큐어(Liqueur) 중의 하나로, 베네딕틴 수도원의 한 수도사에 의하여 만들어졌으며 아직도 그 조제법은 비밀로 되어 있다. Cordial은 사전적 의미로 "강심제, 흥분제, 리큐어 술"의 뜻으로 리큐어(Liqueur)와 동일하다.

8. Q.m.P는 특별 품질 표기의 고급 와인(Qualitatswein mit Pradikat)으로 독일와인 중 최고의 품질만 엄선된다.

9. Porter beer는 상면 발효 맥주로 고온에서 발효 시키고 숙성기간이 짧으며 풍부한 향과 쓴맛이 강한 것이 특징이다.

10. 조선시대에는 현재까지 유명주로 손꼽히는 술들의 전성기를 맞는 시기로 제조 원료도 멥쌀 위주에서 찹쌀로 바뀌고 발효 기술도 바뀌면서 질 좋은 술들이 제조되기 시작하여 중국과 일본 등에 수출되기 시작하였다.

11. Cider(또는 Cidre) 사과를 발효시켜 만든 사과주(Apple Wine)를 말한다.

12. 꼬냑(Cognac) 프랑스의 코냐크 지방에서 생산되는 포도주를 원료로 한 브랜디.

13. 칼린스 믹스 탄산수에 설탕과 라임 또는 레몬 즙을 짜서 만든 음료를 기성품으로 만들어 시판한 제품이다.

14. 우바(Uva) 세계 3대 홍차의 하나로 스리랑카 중부 고산지대에서 재배되는 우바는 밝은 오렌지 빛에 은은한 장미향을 띄고 있어 애호가들의 절대적인 사랑을 받고 있는 홍차이다.

15. 에비앙 워터(Evian Water) 프랑스 오토사봐, 레맨 호안

(湖岸)의 마을 에비앙 레 반(Evian les bains)의 미네랄 워터.

16. 바르베라(Barbera) 이탈리아의 삐에몬테(Piemontese)에서 주로 재배되는 산도가 높고 감칠맛 나는 레드 와인(Red Wine) 품종.

17. 시나(Cynar) 와인에 아티초크를 배합한 리큐어로 약간 진한 커피색.

18. 사이드카(Sidecar) 브랜디 베이스로 셰이크 기법을 이용하여 만들어진 대표적인 식후 칵테일

19. 양조작업 - 증류 - 저장 - 혼합 - 숙성 - 병입

20. 갈리아노(Galliano) 아니스향이 나는 달콤한 맛의 황금색 이탈리아산 리큐어

21. 메즈칼(Mezcal) 테킬라는 멕시코 테킬라 마을 주변의 지정된 지역에서 자란 아가베로만 만들 수 있으며 여러 아가베 품종 중에 꼭 블루 아가베만 사용해야 한다는 생산규정을 따라야 한다. 반면, 메즈칼은 멕시코 어느 곳에서도 생산할 수 있으며 블루 아가베 외에도 다양한 아가베 품종을 사용할 수 있다

22. 증류주란 과실이나 곡류 등을 발효시킨 후 열을 가하여 분리한 것이다.

23. 리큐어의 제조법 증류법, 침출법, 에센스법

24. 이산화황(SO_2)은 와인 제조 시 부패균 생성 방지를 위한 보존료로, 항균제와 갈변방지를 위한 항산화제로 첨가된다.

25. 스미노프(Smirnoff) 미국의 주류기업인 휴브라인 사 제품. 현재 보드카로서는 세계 No.1의 판매량을 자랑하는 제품이다.

26. 정제·살균한 물에 이산화탄소를 혼합하여 충전하고 마개를 막은 청량음료.

27. 빈티지(vintage) 와인을 제조하기 위해 포도를 생산한 연도를 말한다.

28. 러스티 네일(Rusty nail) 위스키와 드람브이를 섞어서 만든 단맛이 나는 칵테일.

29. Mouton Cadet(무똥까데) 프랑스 와인 브랜드

30. 맥주에는 암그루의 수정하지 않은 암꽃을 쓴다.

31. 브랜디(Brandy) 과실주를 증류하여 얻은 증류주를 오크통에 넣어 오랜 기간 숙성시킨 술. 코냑으로 더 많이 알려져 있는 브랜디는 실온 보관한다.

32. Garnish는 깨끗한 손으로 Glass에 Setting 한다.

33. 음료의 필요재고에 맞추어 재고를 보유하여야 한다.

34. 블루 하와이(Blue hawaii) 1957년 하와이 힐튼 호텔 바텐더가 개발한 럼 베이스 칵테일

35. 크레디트 메모(Credit memorandum) 검수과정에서 반품까지는 하지 않더라도 현품이 구매기술서 또는 거래 약정기준과 차이가 발견되었을 경우 이를 시인시켜 차후의 신용유지를 관리할 목적으로 작성하는 것

36. Can Opener

37. 그레나딘 시럽(Grenadine syrup) 당밀에 석류를 원료로 해서 만들어진 붉은 색을 가진 시럽

38. 와인(Wine)은 이동 보관하지 않는다.

39. 인건비, 재료비, 주장경비

40. 머들러(Muddler)는 설탕이나 장식과일 등을 으깨거나 혼합할 때 사용한다.

41. 드라이 쉐리(dry sherry)는 식전주로 알맞다.

42. 바텐더의 근무수칙중 하나는 주장(bar) 영업종료 후 재고조사표를 작성한다.

43. 와인 바스켓(Wine basket) 포도주를 식탁 위에 뉘어놓기 위한 바구니로 주로 오래된 레드와인을 서브할 때 사용한다.

44. 파스톡(Par Stock) 일일 적정 재고량 일과 업무 시작 전에 바(Bar)에서 판매 가능한 양만큼 준비해 두는 각종 재료이다.

45. 롱 드링크(long drink) 조주에 주로 사용한다.

46. 캡(Cap) 쉐이커의 부분 명칭

47. 시즌과일(season fruits)

48. 네그로니(Negroni) Dry Gin 3/4oz, Sweet Vermouth 3/4oz, Campari 3/4oz, Twist of lemon peel

49. 기둥이 짧으며 윗부분은 점점 좁아진다.

50. 소다수(Soda Water)는 탄산을 포함하고 있어 쉐이커에 넣고 조주하지 않는다.

51. 블랙 러시안(Black russian) 보드카와 커피리큐어를 혼합하여 만들어 진다.

52. 라인가우(Rheingau)는 독일와인 중에 가장 고급 와인의 생산지이며, 세계 최고의 와인 생산지역 중에 하나이다.

53. 베이스(Base) 칵테일을 주조할 때 가장 많이 함유되는 술을 말하며, 우리말로 나타낸다면 기주라고 부를 수 있다.

54. 상그리아(sangria) 포도주에 소다수와 레몬즙을 넣어 희석시켜 만든 술.

55. have, try

56. 밸런스(Balance) 어느 한 가지 성분이 우세하지 않고 여러 성분이 잘 균형을 이룬 상태

57. 압생트(Absinthe) 향쑥·살구씨·회향·아니스 등을 주된 향료로 써서 만든 술.

58. 미도리(Midori) 감로멜론(Flavor of Honeydew Melon)의 향을 가지고 있는 Japanese Liqueur를 말한다.

59. sweetness

60. Malibu

2014년 제2회 조주기능사 필기시험 문제

분야		자격종목		수험번호		이름	

1. 진(Gin)이 제일 처음 만들어진 나라는?

① 프랑스   ② 네덜란드

③ 영국   ④ 덴마크

2. 다음 중 식전주로 가장 적합한 것은?

① 맥주(Beer)

② 드람뷔이(Drambuie)

③ 캄파리(Campari)

④ 꼬냑(Cognac)

3. 다음 중 Fortified Wine이 아닌 것은?

① Sherry Wine   ② Vermouth

③ Port Wine   ④ Blush Wine

4. 화이트와인용 포도품종이 아닌 것은?

① 샤르도네   ② 시라

③ 소비뇽 블랑   ④ 삐노 블랑

5. 혼성주의 특징으로 옳은 것은?

① 사람들의 식욕부진이나 원기 회복을 위해 제조되었다.

② 과일 중에 함유되어 있는 당분이나 전분을 발효시켰다.

③ 과일이나 향료, 약초 등 초근목피의 침전물로 향미를 더하여 만든 것으로, 현재는 식후주로 많이 애용된다.

④ 저온 살균하여 영양분을 섭취할 수 있다.

6. 아쿠아비트(Aquavit)에 대한 설명 중 틀린 것은?

① 감자를 당화시켜 연속 증류법으로 증류한다.

② 혼성주의 한 종류로 식후주에 적합하다.

③ 맥주와 곁들여 마시기도 한다.

④ 진(Gin)의 제조 방법과 비슷하다.

7. 스팅거(Stinger)를 제공하는 유리잔(Glass)의 종류는?

① 하이볼(High ball) 글라스

② 칵테일(Cocktail) 글라스

③ 올드 패션드(Old Fashioned) 글라스

④ 사워(Sour) 글라스

8. 주정 강화로 제조된 시칠리아산 와인은?

① Champagne   ② Grappa

③ Marsala   ④ Absente

9. Scotch whisky에 대한 설명으로 옳지 않은 것은?

① Malt whisky는 대부분 Pot still을 사용하여 증류한다.

② Blended whisky는 Malt whisky와 Grain whisky를 혼합한 것이다.

③ 주원료인 보리는 이탄(Peat)의 연기로 건조시킨다.

④ Malt whisky는 원료의 향이 소실되지 않도록 반드시 1회만 증류한다.

10. 커피의 품종에서 주로 인스턴트커피의 원료로 사용되고 있는 것은?

① 로부스타   ② 아라비카

③ 리베리카   ④ 레귤러

11. Whisky 1 Ounce(알코올 도수 40%), Cola 4 oz(녹는 얼음의 양은 계산하지 않음)를 재료로 만든 Whisky Coke의 알코올 도수는?

① 6%   ② 8%

③ 10%   ④ 12%

12. 증류하면 변질될 수 있는 과일이나 약초, 향료에 증류주를 가해 향미성을 용해시키는 방법으로 열을 가하지 않는 리큐르 제조법으로 가장 적합한 것은?

① 증류법   ② 침출법

③ 여과법   ④ 에센스법

13. 와인 병 바닥의 요철 모양으로 오목하게 들어간 부분은?

① 펀트(Punt)

② 발란스(Balance)

③ 포트(Port)

④ 노블 롯(Noble Rot)

14. 이탈리아 리큐르로 살구씨를 물과 함께 증류하여 향초 성분과 혼합하고 시럽을 첨가해서 만든 리큐르는?

① Cherry Brandy   ② Curacao

③ Amaretto   ④ Tia Maria

15. 포도즙을 내고 남은 찌꺼기에 약초 등을 배합하여 증류해 만든 이태리 술은?

① 삼부카   ② 버머스

③ 그라빠   ④ 캄파리

16. 조선시대에 유입된 외래주가 아닌 것은?

① 천축주   ② 섬라주

③ 금화주   ④ 두견주

17. 고려 때에 등장한 술로 병자호란이던 어느 해 이완 장군이 병사들의 사기를 돋우기 위해 약용과 가향의 성분을 고루 갖춘 이 술을 마시게 한 것에서 유래된 것으로 알려졌으며, 차보다 얼큰하고 짙게 우러난 호박색이 부드럽고 연 냄새가 은은한 전통제주로 감칠맛이 일품인 전통주는?

① 문배주   ② 이강주

③ 송순주   ④ 연엽주

18. 테킬라에 대한 설명으로 맞게 연결된 것은?

· 최초의 원산지는 (㉠)로서 이 나라의 특산주이다. 원료는 백합과의 (㉡)인데 이 식물에는 (㉢)이라는 전분과 비슷한 물질이 함유되어 있다.

① ㉠ 멕시코, ㉡ 풀케(Pulque), ㉢ 루플린

② ㉠ 멕시코, ㉡ 아가베(Agave), ㉢ 이눌린

③ ㉠ 스페인, ㉡ 아가베(Agave), ㉢ 루플린

④ ㉠ 스페인, ㉡ 풀케(Pulque), ㉢ 이눌린

19. 차(Tea)에 대한 설명으로 가장 거리가 먼 것은?

① 녹차는 차 잎을 찌거나 덖어서 만든다.

② 녹차는 끓는 물로 신속히 우려낸다.

③ 홍차는 레몬과 잘 어울린다.

④ 홍차에 우유를 넣을 때는 뜨겁게 하여 넣는다.

20. 이탈리아 I.G.T 등급은 프랑스의 어느 등급에 해당되는가?

① V.D.Q.S   ② Vin de Pays

③ Vin de Table   ④ A.O.C

21. 진저엘의 설명 중 틀린 것은?

① 맥주에 혼합하여 마시기도 한다.

② 생강향이 함유된 청량음료이다.

③ 진저엘의 엘은 알코올을 뜻한다.

④ 진저엘은 알코올분이 있는 혼성주이다.

22. 곡류와 감자 등을 원료로 하여 당화시킨 후 발효하고 증류한다. 증류액을 희석하여 자작나무 숯으로 만든 활성탄에 여과하여 정제하기 때문에 무색, 무취에 가까운 특성을 가진 증류주는?

① Gin   ② Vodka

③ Rum   ④ Tequila

23. 차와 코코아에 대한 설명으로 틀린 것은?

① 차는 보통 홍차, 녹차, 청차 등으로 분류된다.

② 차의 등급은 잎의 크기나 위치 등에 크게 좌우된다.

③ 코코아는 카카오 기름을 제거하여 만든다.

④ 코코아는 사이폰(syphon)을 사용하여 만든다.

24. 그랑드 샹빠뉴 지역의 와인 증류원액을 50% 이상 함유한 코냑을 일컫는 말은?

① 샹빠뉴 블랑   ② 쁘띠뜨 샹빠뉴

③ 핀 샹빠뉴   ④ 샹빠뉴 아르덴

25. 단식증류기의 일반적인 특징이 아닌 것은?

① 원료 고유의 향을 잘 얻을 수 있다.

② 고급 증류주의 제조에 이용한다.

③ 적은 양을 빠른 시간에 증류하여 시간이 적게 걸린다.

④ 증류 시 알코올 도수를 80도 이하로 낮게 증류한다.

26. 다음 중 과즙을 이용하여 만든 양조주가 아닌 것은?

① Toddy   ② Cider

③ Perry   ④ Mead

27. 상면발효 맥주 중 벨기에서 전통적인 발효법을 이용해 만드는 맥주로, 발효시키기 전에 뜨거운 맥즙을 공기 중에 직접 노출시켜 자연에 존재하는 야생효모와 미생물이 자연스럽게 맥즙에 섞여 발효하게 만든 맥주는?

① 스타우트(Stout)

② 도르트문트(Dortmund)

③ 에일(Ale)

④ 람빅(Lambics)

28. 각국을 대표하는 맥주를 바르게 연결한 것은?

① 미국 - 밀러, 버드와이저

② 독일 - 하이네켄, 뢰벤브로이

③ 영국 - 칼스버그, 기네스

④ 체코 - 필스너, 벡스

29. 조주 상 사용되는 표준계량의 표시 중에서 틀린 것은?

① 1 티스푼(tea spoon) = 1/8 온스

② 1 스플리트(split) = 6 온스

③ 1 핀트(pint) = 10 온스

④ 1 포니(pony) = 1 온스

30. 다음 중 홍차가 아닌 것은?

① 잉글리시 블랙퍼스트(English breakfast)

② 로브스타(Robusta)

③ 다즐링(Dazeeling)

④ 우바(Uva)

31. 칵테일의 종류 중 마가리타(Margarita)의 주
원료로 쓰이는 술의 이름은?

① 위스키(Whisky)　　② 럼(Rum)

③ 테킬라(Tequila)　　④ 브랜디(Brandy)

32. 1 온스(oz)는 몇 mL인가?

① 10.5 mL　　　② 20.5 mL

③ 29.5 mL　　　④ 40.5 mL

33. 바카디 칵테일(Bacardi Cocktail)용 글라스
는?

① 올드 패션드(Old Fashioned)용 글라스

② 스템 칵테일(Stemmed Cocktail) 글라스

③ 필스너(Pilsner) 글라스

④ 고블렛(Goblet) 글라스

34. 다음 주류 중 알콜 도수가 가장 약한 것은?

① 진(Gin)

② 위스키(Whisky)

③ 브랜디(Brandy)

④ 슬로우진(Sloe Gin)

35. 다음에서 주장관리 원칙과 가장 거리가 먼
것은?

① 매출의 극대화　　② 청결유지

③ 분위기 연출　　　④ 완벽한 영업 준비

36. 메뉴 구성 시 산지, 빈티지, 가격 등이 포함
되어야 하는 주류와 가장 거리가 먼 것은?

① 와인　　　　　② 칵테일

③ 위스키　　　　④ 브랜디

37. 조주보조원이라 일컬으며 칵테일 재료의 준
비와 청결 유지를 위한 청소담당 및 업장 보
조를 하는 사람은?

① 바 헬퍼(Bar helper)

② 바텐더(Bartender)

③ 헤드 바텐더(Head Bartender)

④ 바 매니져(Bar Manager)

38. 코스터(Coaster)란?

① 바용 양념세트　　② 잔 밑받침

③ 주류 재고 계량기　　④ 술의 원가표

39. 칵테일 기구에 해당되지 않는 것은?

① Butter Bowl　　② Muddler

③ Strainer　　　④ Bar Spoon

40. 와인병을 눕혀서 보관하는 이유로 가장 적
합한 것은?

① 숙성이 잘되게 하기 위해서

② 침전물을 분리하기 위해서

③ 맛과 멋을 내기 위해서

④ 색과 향이 변질되는 것을 방지하기 위해서

41. 얼음을 다루는 기구에 대한 설명으로 틀린 것
은?

① Ice Pick - 얼음을 깰 때 사용하는 기구

② Ice Scooper - 얼음을 떠내는 기구

③ Ice Crusher - 얼음을 가는 기구

④ Ice Tong - 얼음을 보관하는 기구

42. 핑크 레이디, 밀리언 달러, 마티니, B-52의 조주 기법을 순서대로 나열한 것은?

① shaking, stirring, building, float &layer

② shaking, shaking, float &layer, building

③ shaking, shaking, stirring, float &layer

④ shaking, float &layer, stirring, building

43. 선입선출(FIFO)의 원래 의미로 맞는 것은?

① First - in, First - on

② First - in, First - off

③ First - in, First - out

④ First - inside, First - on

44. Honeymoon 칵테일에 필요한 재료는?

① Apple Brandy ② Dry Gin

③ Old Tom Gin ④ Vodka

45. 바 매니져(Bar Manager)의 주 업무가 아닌 것은?

① 영업 및 서비스에 관한 지휘 통제권을 갖는다.

② 직원의 근무 시간표를 작성한다.

③ 직원들의 교육 훈련을 담당한다.

④ 인벤토리(Inventory)를 세부적으로 관리한다.

46. 주로 tropical cocktail을 조주할 때 사용하며 "두들겨 으깬다." 라는 의미를 가지고 있는 얼음은?

① shaved ice ② crushed ice

③ cubed ice ④ cracked ice

47. 칵테일을 제조할 때 계란, 설탕, 크림 (cream) 등의 재료가 들어가는 칵테일을 혼합할 때 사용하는 기구는?

① Shaker ② Mixing Glass

③ Jigger ④ Strainer

48. Champagne 서브 방법으로 옳은 것은?

① 병을 미리 흔들어서 거품이 많이 나도록 한다.

② 0 ~ 4℃ 정도의 냉장온도로 서브한다.

③ 쿨러에 얼음과 함께 담아서 운반한다.

④ 가능한 코르크를 열 때 소리가 크게 나도록 한다.

49. 칵테일 용어 중 트위스트(Twist)란?

① 칵테일 내용물이 춤을 추듯 움직임

② 과육을 제거하고 껍질만 짜서 넣음

③ 주류 용량을 잴 때 사용하는 기물

④ 칵테일의 2온스 단위

50. 칵테일 재료 중 석류를 사용해 만든 시럽 (Syrup)은?

① 플레인 시럽 (Plain Syrup)

② 검 시럽 (Gum Syrup)

③ 그레나딘 시럽 (Grenadine Syrup)

④ 메이플 시럽 (Maple Syrup)

51. "What will you have to drink?" 의 의미로 가장 적합한 것은?

① 식사는 무엇으로 하시겠습니까?

② 디저트는 무엇으로 하시겠습니까?

③ 그 외에 무엇을 드시겠습니까?

④ 술은 무엇으로 하시겠습니까?

52. What is the name of famous Liqueur on Scotch basis?

① Drambuie   ② Cointreau

③ Grand marnier   ④ Curacao

53. What is the meaning of the following explanation?

When making a cocktail, this is the main ingredient into which other things are added.

① base   ② glass

③ straw   ④ decoration

54. "Would you care for dessert?"의 올바른 대답은?

① Vanilla ice-cream, please.

② Ice-water, please.

③ Scotch on the rocks.

④ Cocktail, please

55. Which one is made of dry gin and dry vermouth?

① Martini   ② Manhattan

③ Paradise   ④ Gimlet

56. 다음 중 의미가 다른 하나는?

① Cheers!   ② Give up!

③ Bottoms up!   ④ Here's to us!

57. Which of the following is a liqueur made by Irish whisky and Irish cream?

① Benedictine   ② Galliano

③ Creme de Cacao   ④ Baileys

58. Which of the following is not scotch whisky?

① Cutty Sark   ② White Horse

③ John Jameson   ④ Royal Salute

59. Which is the syrup made by pomegranate?

① Maple syrup   ② Strawberry syrup

③ Grenadine syrup   ④ Almond syrup

60. 다음 문장 중 나머지 셋과 의미가 다른 하나는?

① What would you like to have?

② Would you like to order now?

③ Are you ready to order?

④ Did you order him out?

정답 및 해설

| 2014년 제2회 조주기능사 필시시험 기출문제 |

1	2	3	4	5	6	7	8	9	10
2	3	4	2	3	2	2	3	4	1
11	12	13	14	15	16	17	18	19	20
2	2	1	3	3	4	4	2	2	2
21	22	23	24	25	26	27	28	29	30
4	2	4	3	3	4	4	1	3	2
31	32	33	34	35	36	37	38	39	40
3	3	2	4	1	2	1	2	1	4
41	42	43	44	45	46	47	48	49	50
4	3	3	1	4	2	2	1	3	3
51	52	53	54	55	56	57	58	59	60
4	1	1	1	1		4	3	3	4

1. 진(Gin)이 탄생한 고향은 네덜란드. 1660년, 라이덴 대학의 의사인 실비우스 박사가 약주로서 개발한 것이 기원이다.

2. 캄파리(Campari) 창시자의 이름을 딴 이탈리아산의 붉은 색으로 매우 쓴맛의 리큐어(Liqueur)이며, 주로 아페리티프(Apéritif : 식전 주)로 애음

3. 블러시 와인(Blush Wine) 캘리포니아(California)의 엷은 "핑크색 와인"을 말한다.

4. 시라(Syrah) 쉬라즈(Shiraz)라고도 한다. 원산지는 서아시아로 추정되며 유럽을 비롯해 오스트레일리아, 칠레, 캘리포니아, 남아프리카 등에서도 재배한다.

5. 과일이나 향료, 약초 등 초근목피의 침전물로 향미를 더하여 만든 것으로, 현재는 식후주로 많이 애음된다.

6. 아쿠아비트(Aquavit) 북유럽의 여러 나라에서 생산되는 색깔 없는 주류로서 감자를 주원료로 하는 증류주, Aqua(물)+Vitae(생명, 生命)의 생명수란 뜻

7. 스팅거(Stinger) 브랜디의 달콤함 속에서 느껴지는 날카로운 바늘과 같은 민트의 자극 스팅거에는 독설가, 침(동물의)등의 의미가 있다. 칵테일(Cocktail) 글라스에 제공된다.

8. 마르살라(Marsala) 마르살라 시실리 섬에 생산되는 강화와인으로 드라이해 질 때까지 완벽하게 발효과정을 거치고 난 뒤에 강화된다.

9. 몰트 위스키(Malt whisky)는 단식증류기를 통해 두 번 증류한다.

10. 쓴맛이 인상적인 로부스타는 주로 인스턴트 커피나 블렌딩(blending)용으로 사용된다.

11. [(재료 알코올 도수 × 사용량) + (재료 알코올 도수 × 사용량)] ÷ 총사용량
[(40% × 1oz)+ (0% × 4oz)] ÷ 5 oz = 8%

12. 침출법(Infusion) 증류하면 변질될 수 있는 과일이나 약초, 향료에 증류주를 가해 향미성을 용해시키는 방법으로 열을 가하지 않는다.

13. 펀트(Punt) 와인의 침전물을 모으고 가두어 주는 것이다. 그 외에 병에 대한 무게 중심을 잡아 주어 안정성을 준다거나, 테이블의 스크래치 방지 등이 있다.

14. 아마레또(Amaretto)는 Almond를 직접 넣는 것이 아니라 살구씨를 물에 담가 증류시키고 Almond(아몬드)와 비슷한 향의 Essence를 만들어 Spirits에 혼합하고 숙성해서 Syrup을 첨가한다.

15. 그라파(Grappa) 포도를 압착 후 나머지를 증류한 것으로 숙성하지 않아서 무색의 이탈리아 브랜디

16. '두견주(杜鵑酒)'는 고려시대의 대표적인 술이다. 면천 지역에서 활짝 핀 진달래꽃으로 빚는 술이 바로 면천 두견주다. 중요 무형 문화재 제86-2호

17. 연엽주(蓮葉酒) 찹쌀지에밥에 누룩을 버무려 연잎에 싸서 담근 술

18. ① 멕시코, ② 아가베(Agave), ③ 이눌린

19. 녹차는 80도에서 우려냈을 때 녹차 향이 가장 좋다.

20. 이탈리아: I.G.T = 프랑스 Vin de Pays

21. 진저엘(Ginger Ale) 적도 아프리카 잔지바르(Zanzibar), 자메이카(Jamaica), 우리나라에서 생산되는 생강의 향기를 나게 한 소다수(Soda Water)에다 구연산(Citric Acid : 시트르산) 기타 향신료를 섞어 캐러멜 색소에 착색한 청량음료이다.

22. 보드카(Vodka)
원료는 밀·보리·호밀 등이지만 현재는 이것들 외에 감자나 옥수수 등이 쓰일 때도 있다. 제조법은 원료를 찌고 엿기름을 더하여 당화시킨 다음 효모를 섞어서 발효시킨다. 이렇게 해서 생긴 액을 자작나무 숯을 채워 넣은 정류탑이 있는 증류기(Pot Still)로 증류한다.

23. 사이폰(syphon) 가는 관을 통하여 커피를 유출하는 방법으로 커피와 물을 따로 분리해 놓고 열을 가하면 위에서 커피가 증기에 가해져 커피가 유출되는 방법.

24. 파인 샹파뉴(fine Champagne) 코냑 지방의 그랜드 상파뉴 지역과 페티트 상파뉴 지역의 원료만을 사용하여 제조한 코냑.

25. 적은 양을 오랜 시간에 증류하여 시간이 많이 걸린다.

26. 미드(Mead) 꿀에 물을 섞어 발효시켜서 만든 벌꿀 술.

27. 람빅(Lambics) 벨기에의 브리셀의 에일 맥주. 발효 전 맥아즙을 외부 공기에 노출 시킴으로서 야생효모와 기타 미생물이 맥아즙 표면에 닿게되어 적당한 온도로 식는 것과 동시에 발효 시작. 보통 2~3년 후숙

28. 미국 - 밀러, 버드와이저

29. 1 핀트(pint) = 16 온스

30. 로브스타(Robusta) 세계 커피의 3대 원종중 하나.

31. 마가리타(Margarita) 테킬라, 오렌지 향의 리큐어, 라임 주스를 섞어 만든 칵테일.

32. 1 온스(oz) = 29.5 mL

33. 바카디 칵테일(Bacardi Cocktail)은 스템 칵테일 (Stemmed Cocktail) 글라스에 제공이 된다.

34. 슬로우진(Sloe Gin) 33%

35. 주장관리란 주장영업을 위한 준비사항과 구매, 검수, 저장과 출고를 뜻한다.

36. 칵테일은 산지 또는 빈티지를 표기하기가 어렵다.

37. 바 헬퍼(Bar helper) 조주보조원이라 일컬으며 칵테일 재료의 준비와 청결 유지를 위한 청소담당 및 업장 보조한다.

38. 코스터(Coaster) 컵 밑에 받치는 깔판, 일명 글라스 메트(Mat) 혹은 텀블러 매트(Tumbler Mat) 라고도 한다.

39. Butter Bowl(버터 보울)은 칵테일 조주 시 사용되지 않는다.

40. 병을 똑바로 세워두어 코르크가 마르면 수축되어 공기가 들어갈 수 있어 변질 되는 원인이 된다.

41. Ice Tong - 얼음 집게, 얼음을 집기 위한 기구로서 끝부분의 톱니부분이 만들어져 있다.

42. shaking - shaking - stirring - float & layer

43. 선입 선출(FIFO : first-in first-out)

44. 허니문(Honeymoon) 애플 브랜디, 베네딕틴, 오렌지 큐라소, 레몬주스.

45. 인벤토리(Inventory) 관리는 바텐더의 주요업무이다.

46. 크러시드 아이스(crushed ice) "두들겨 으깨다"라는 의미로 분쇄 제빙기를 만들거나 얼음을 타월에 싸서 두들겨 깨어 잘게 부순 얼음.

47. 쉐이커는 계란, 설탕, 크림(cream) 등의 다소 혼합하기 어려운 재료를 혼합할 때 사용하는 기구이다.

48. 쿨러에 얼음과 함께 담아서 운반한다.

49. 트위스트(Twist) 과육을 제거하고 껍질만 짜서 넣는 장식법

50. 그레나딘 시럽 (Grenadine Syrup) 당밀에 석류를 넣어 만든 선홍색의 시럽으로 과일 시럽 중 칵테일을 만들 때 가장 많이 쓰인다.

51. 술은 무엇으로 하시겠습니까?

52. 드람브이(Drambuie) 스코틀랜드산의 유명한 리큐어로 스카치 위스키를 기본주로 해서 Heney, Herbs를 가하여 만든 술이다.

53. 베이스(Base) 칵테일을 주조할 때 가장 많이 함유되는 술을 말하며, 우리말로 나타낸다면 기주라고 부를 수 있다.

54. Vanilla ice-cream, please.

55. 마티니(Martini) 드라이 진에 드라이 베르무트를 섞은 후 올리브로 장식한 칵테일.

56. Give up!

57. 베일리스(Bailey`s) Irish Cream과 위스키(Whisky)로 만들어진 아이리시 리큐어이다.

58. 제임슨(JAMESON) irish 위스키(40%) 오랫동안 아이리쉬의 고전적인 증류법을 지켜온 것으로서 중후한 맛의 전통 위스키이다.

59. 그레나딘 시럽 (Grenadine Syrup) 당밀에 석류 (pomegranate)를 넣어 만든 선홍색의 시럽으로 과일 시럽 중 칵테일을 만들 때 가장 많이 쓰인다.

60. Did you order him out?

2014년 제4회 조주기능사 필기시험 문제

분야		자격종목		수험번호		이름	

1. Stinger를 조주할 때 사용되는 술은?

① Brandy

② Creme de Menthe blue

③ Cacao

④ Sloe Gin

2. 와인의 숙성시 사용되는 오크통에 관한 설명으로 가장 거리가 먼 것은?

① 오크 캐스크(Cask)가 작은 것 일수록 와인에 뚜렷한 영향 을 준다.

② 보르도 타입 오크통의 표준 용량은 225리터이다.

③ 캐스크가 오래될수록 와인에 영향을 많이 주게 된다.

④ 캐스크에 숙성시킬 경우에 정기적으로 랙킹(Racking)을 한다.

3. 음료의 살균에 이용되지 않는 방법은?

① 저온 장시간 살균법(LTLT)

② 자외선 살균법

③ 고온 단시간 살균법(HTST)

④ 초고온 살균법(UHT)

4. 다음 중 원료가 다른 술은?

① 트리플 섹 ② 마라스퀸

③ 꼬엥뜨로 ④ 블루 퀴라소

5. 다음 중 와인의 정화(Fining)에 사용되지 않는 것은?

① 규조토 ② 계란의 흰자

③ 카제인 ④ 아황산용액

6. 다음 중 양조주가 아닌 것은?

① Silvowitz ② Cider

③ Porter ④ Cava

7. 다음 중 몰트 위스키가 아닌 것은?

① A'bunadh ② Macallan

③ Crown royal ④ Glenlivet

8. 칵테일을 만드는 기본기술 중 글라스에서 직접 만들어 손님에게 제공하는 경우가 있다. 다음 칵테일 중 이에 해당되는 것은?

① Bacardi ② Calvados

③ Honeymoon ④ Gin Rickey

9. 칵테일의 명칭이 아닌 것은?

① Gimlet ②Kiss of Fire

③ Tequila Sunrise ④Drambuie

10. Draft Beer의 특징으로 가장 잘 설명한 것은?

① 맥주 효모가 살아 있어 맥주의 고유한 맛을 유지한다.

② 병맥주 보다 오래 저장할 수 있다.

③ 살균처리를 하여 생맥주 맛이 더 좋다.

④ 효모를 미세한 필터로 여과하여 생맥주 맛이 더 좋다.

11. 화이트와인 품종이 아닌 것은?

① 샤르도네(Chardonnay) ② 말벡(Malbec)

③ 리슬링(Riesling) ④ 뮈스까(Muscat)

12. 쇼트 드링크(Short drink)란?

① 만드는 시간이 짧은 음료

② 증류주와 청량음료를 믹스한 음료

③ 시간적인 개념으로 짧은 시간에 마시는 칵테일 음료

④ 증류주와 맥주를 믹스한 음료

13. 다음 중 롱 드링크(Long drink)에 해당하는 것은?

① 마티니(Martini) ② 진 피즈(Gin Fizz)

③ 맨하탄(manhattan) ④ 스팅어(Stinger)

14. 칠레에서 주로 재배되는 포도품종이 아닌 것은?

① 말벡(Malbec)

② 진판델(Zinfandel)

③ 메를로(Merlot)

④ 까베르네 소비뇽(Cabernet Sauvignon)

15. 다음 증류주 중에서 곡류의 전분을 원료로 하지 않는 것은?

① 진(Gin) ② 럼(Rum)

③ 보드카(Vodka) ④ 위스키(Whisky)

16. 다음 민속주 중 증류식 소주가 아닌 것은?

① 문배주 ② 삼해주

③ 옥로주 ④ 안동소주

17. 커피 리큐르가 아닌 것은?

① 카모라(Kamora)

② 티아 마리아(Tia Maria)

③ 쿰멜(Kummel)

④ 칼루아(Kahlua)

18. 코냑은 무엇으로 만든 술인가?

① 보리 ② 옥수수

③ 포도 ④ 감자

19. 커피의 3대 원종이 아닌 것은?

① 아라비카종 ② 로부스타종

③ 리베리카종 ④ 수마트라종

20. 테킬라의 구분이 아닌 것은?

① 블랑코 ② 그라파

③ 레포사도 ④ 아네호

21. 롱드링크 칵테일이나 비알콜성 펀치칵테일을 만들 때 사용하는 것으로 레몬과 설탕이 주원료인 청량음료(Soft drink)는?

① Soda Water   ② Ginger Ale

③ Tonic Water   ④ Collins Mix

22. 다음 중 오렌지향의 리큐르가 아닌 것은?

① 그랑 마니에르(Grand Marnier)

② 트리플 섹(Triple Sec)

③ 꼬엥뜨로(Cointreau)

④ 뮤슈(Mousseux)

23. 맥주(beer)에서 특이한 쓴맛과 향기로 보존성을 증가시키고 또한 맥아즙의 단백질을 제거하는 역할을 하는 원료는?

① 효모(Yeast)   ② 홉(Hop)

③ 알코올(Alcohol)   ④ 과당(Fructose)

24. 다음 칵테일 중 직접 넣기(Building)기법으로 만드는 칵테일로 적합한 것은?

① Bacardi   ② Kiss of Fire

③ Honeymoon   ④ Kir

25. 1 대시(dash)는 몇 mL인가?

① 0.9mL   ② 5 mL

③ 7 mL   ④ 10 mL

26. Gin Fizz의 특징이 아닌 것은?

① 하이볼 글라스를 사용한다.

② 기법으로 Shaking과 Building을 병행한다.

③ 레몬의 신맛과 설탕의 단맛이 난다.

④ 칵테일 어니언(Onion)으로 장식한다.

27. 다음 중 미국을 대표하는 리큐르(Liqueur)는?

① 슬로우 진(Sloe Gin)

② 리카르드(ricard)

③ 사우던 컴포트(Southern Comfort)

④ 크림 데 카카오(Creme de cacao)

28. 다음 중 우리나라의 전통주가 아닌 것은?

① 소홍주   ② 소곡주

③ 문배주   ④ 경주법주

29. Terroir의 의미를 가장 잘 설명한 것은?

① 포도재배에 있어서 영향을 미치는 자연적인 환경요소

② 영양분이 풍부한 땅

③ 와인을 저장할 때 영향을 미치는 온도, 습도, 시간의 변 화

④ 물이 잘 빠지는 토양

30. 스페인 와인의 대표적 토착품종으로 숙성이 충분히 이루 어지지 않을 때는 짙은 향과 풍미가 다소 거칠게 느껴질 수 있지만 오랜 숙성을 통해 부드러움이 갖추어져 매혹적인 스타일이 만들어지는 것은?

① Gamay

② Pinot Noir

③ Tempranillo

④ Cabernet Sauvignon

31. 다음 중 네그로니(Negroni) 칵테일의 재료가 아닌 것은?

① Dry Gin
② Campari
③ Sweet Vermouth
④ Rum

32. Long drink가 아닌 것은?

① Pina colada
② Manhattan
③ Singapore Sling
④ Rum Punch

33. Brandy Base Cocktail이 아닌 것은?

① Gibson
② B &B
③ Sidecar
④ Stinger

34. Store room에서 쓰이는 Bin card의 용도는?

① 품목별 불출입 재고 기록
② 품목별 상품특성 및 용도기록
③ 품목별 수입가와 판매가 기록
④ 품목별 생산지와 빈티지 기록

35. 포도주를 관리하고 추천하는 직업이나 그 일을 하는 사람 을 뜻하며 와인마스타(Wine Master)라고도 불리는 사람은?

① 쉐프(Chef)
② 소믈리에(Sommelier)
③ 바리스타(Barista)
④ 믹솔로지스트(Mixologist)

36. June Bug 칵테일의 재료가 아닌 것은?

① Vodka
② Coconut flavored Rum
③ Blue Curacao
④ Sweet &sour Mix

37. 탄산음료나 샴페인을 사용하고 남은 일부를 보관 시 사용 되는 기물은?

① 스토퍼
② 포우러
③ 코르크
④ 코스터

38. Standard recipe를 지켜야 하는 이유로 가장 거리가 먼 것은?

① 다양한 맛을 낼 수 있다.
② 객관성을 유지할 수 있다.
③ 원가책정의 기초로 삼을 수 있다.
④ 동일한 제조 방법으로 숙련할 수 있다.

39. Floating의 방법으로 글라스에 직접 제공하여야 할 칵테일은?

① Highball
② Gin Fizz
③ Pousse cafe
④ Flip

40. Fizz류의 칵테일 조주 시 일반적으로 사용되는 것은?

① Shaker
② Mixong glass
③ Pitcher
④ Stirring rod

41. 음료서비스 시 수분흡수를 위해 잔 밑에 놓는 것은?

① Coaster　　　　② Pourer

③ Stopper　　　　④ Jigger

42. 칵테일의 기법 중 Stirring을 필요로 하는 경우와 가장 관계가 먼 것은?

① 섞는 술의 비중의 차이가 큰 경우

② Shaking 하면 만들어진 칵테일이 탁해질 것 같은 경우

③ Shaking 하는 것 보다 독특한 맛을 얻고자 할 경우

④ Cocktail의 맛과 향이 없어질 우려가 있을 경우

43. 칵테일의 분류 중 맛에 따른 분류에 속하지 않는 것은?

① 스위트 칵테일(Sweet Cocktail)

② 사워 칵테일(Sour Cocktail)

③ 드라이 칵테일(Dry Cocktail)

④ 아페리티프 칵테일(Aperitif Cocktail)

44. 주장 원가 3요소는?

① 인건비, 재료비, 주장경비

② 재료비, 주장경비, 세금

③ 인건비, 봉사료, 주장경비

④ 주장경비, 세금 , 봉사료

45. 백포도주를 서비스 할 때 함께 제공하여야 할 기물로 가 장 적합한 것은?

① Bar spoon　　　② Wine cooler

③ Strainer　　　　④ Tongs

46. Cognac의 등급 표시가 아닌 것은?

① V.S.O.P　　　　② Napoleon

③ Blended　　　　④ Vieux

47. 레드와인의 서비스로 틀린 것은?

① 적정한 온도로 보관하여 서비스한다.

② 잔이 가득 차도록 조심해서 서서히 따른다.

③ 와인 병이 와인 잔에 닿지 않도록 따른다.

④ 와인 병 입구를 종이냅킨이나 크로스냅킨을 이용하여 닦는다.

48. 주장(Bar)에서 유리잔(Glass)을 취급 · 관리하는 방법으로 틀린 것은?

① Cocktail glass는 스템(Stem)의 아래쪽을 잡는다.

② Wine glass는 무늬를 조각한 크리스털 잔을 사용하는 것이 좋다.

③ Brandy Snifter는 잔의 받침(Foot)과 볼(Bowl)사이에 손가 락을 넣어 감싸 잡는다.

④ 냉장고에서 차게 해 둔잔(glass)이라도 사용 전 반드시 파손과 청 결상태를 확인하다.

49. 다음 중 용량에 있어 다른 단위와 차이가 가 장 큰 것은? (단, Shot은 영국 Single 혹은 미국의 Small shot 기준)

① 1 Pony　　　　② 1 Jigger

③ 1 Shot　　　　④ 1 Ounce

50. 빈(bin)이 의미하는 것으로 가장 적합한 것은?

① 프랑스산 적포도주

② 주류 저장소에 술병을 넣어 놓는 장소

③ 칵테일 조주 시 가장 기본이 되는 주재료

④ 글라스를 세척하여 담아 놓는 기구

51. Which is not the name of sherry?

① Fino
② Olorso
③ Tio pepe
④ Tawny port

52. 다음 질문에 대한 대답으로 가장 적절한 것은?

· How often do you go to the bar?

① For a long time.
② When I am free.
③ Quite often. OK.
④ From yesterday.

53. Which is the best answer for the blank?

· A dry martini served with an ( ).

① red cherry
② pearl onion
③ lemon slice
④ olivee

54. 아래는 어떤 용어에 대한 설명인가?

· A small space or room in some restaurants where food items or food-related equipments are kept.

① Pantry
② Cloakroom
③ Reception Desk
④ Hospitality room

55. Where is the place not to produce wine in France?

① Bordeaux
② Bourgonne
③ Alsace
④ Mosel

56. 다음 ( ) 안에 들어갈 단어로 알맞은 것은?

· ( ) is a generic cordial invented in Italy and made from apricot pits and herbs, yielding a pleasant almond flavor.

① Anisette
② Amaretto
③ Advocast
④ Amontillado

57. Which is the best answer for the blank?

· Most highballs, Old fashioned, and on-the-rocks drinks call for ( ).

① shaved ice
② crushed ice
③ cubed ice
④ lumped ice

58. 다음 내용의 의미로 가장 적합한 것은?

· Scotch on the rock, please.

① 스카치위스키를 마시다.
② 바위 위에 위스키
③ 스카치 온더락 주세요.
④ 얼음에 위스키를 붓는다.

59. "How would you like your steak?"의 대답으로 가장 적 합한 것은?

① Yes, I like it.
② I like my steak
③ Medium rare, please
④ Filet mignon, please

60. 다음의 ( )에 들어갈 알맞은 것은?

Why do you treat me like that?
As you treat me, ( ) will you I treat you.

① as
② so
③ like
④ and

정답 및 해설

| 2014년 제4회 조주기능사 필기시험 기출문제 |

1	2	3	4	5	6	7	8	9	10
1	3	2	2	4	1	3	4	4	1
11	12	13	14	15	16	17	18	19	20
2	3	2	2	2	2	3	3	4	2
21	22	23	24	25	26	27	28	29	30
4	4	2	4	1	4	3	1	1	3
31	32	33	34	35	36	37	38	39	40
4	2	1	1	2	3	1	1	3	1
41	42	43	44	45	46	47	48	49	50
1	1	1	1	2	3	2	2	2	2
51	52	53	54	55	56	57	58	59	60
4	3	3	1	4	3	2	4	3	3

1. 스팅어(Stinger) 브랜디 베이스로 페퍼민트 향의 상쾌함과 위의 부담을 덜어 주는 효과를 가진 식후 주의 대표적인 칵테일.

2. 오크통(Cask)은 대체로 4-6년 사용하고 나면 풍미가 거의 나타나지 않는다.

3. 가열살균방법은 저온살균법, 고온살균법, 초고온살균법등으로 나누어진다.

4. 마라스퀸(Marasquin) 이탈리아와 유고슬라비아의 국경에 많이 재배되고 있는 마라스카종의 체리를 사용해서 발효시킨 후 증류하여 물, 시럽 등을 첨가하여 만든 무색 투명한 리큐어이다.

5. 와인의 정화(Fining)에는 규조토, 벤토나이트, 젤라틴, 카제인, 계란의 흰자등이 점착성이 좋기 때문에 사용이 된다.

6. 슬리보비츠(Silvowitz) 서양 살구(Blue Plum)를 원료로 하여 만든 술로서 루마니아와 세르비아 일부의 국민주이다.

7. Crown Royal은 1939년 영국 왕 조지 6세와 여왕 엘리자베스의 역사적인 캐나다 방문을 기념하기 위해 특별히 제조된 콘과 라이보리를 원료로 만들어진 위스키이다.

8. 진 릭키(Gin Rickey) 드라이 진에 라임 주스를 섞고 소다수를 첨가해 만든 칵테일

9. 드람브이(Drambuie) 스코틀랜드산의 유명한 리큐어로 스카치 위스키를 기본주로 해서 Heney, Herbs를 가하여 만든 술이다.

10. 드래프트 비어(Draft Beer) 살균처리 하지 않은 맥주, 효모가 살아 있으므로 향미가 좋다.

11. 말벡(Malbec) 이 포도종의 특성은 까베르네 쏘비뇽(Cabernet Sauvignon)과 더불어 강한 타닌(Tannin)을 함유하고 있으며 다른 품종과 Blending에 쓰이고 있다

12. 쇼트 드링크(Short drink) 용량이 적은 6oz(180mL) 미만의 칵테일 글라스에 제공되는 음료를 말하며 좁은 의미의 칵테일이다.

13. 진 피즈(Gin Fizz) 드라이 진을 베이스로 한 피즈 스타일의 롱 드링크이다.

14. 진판델(Zinfandel) 미국 캘리포니아(California)에서 가장 많이 재배되는 적포도 품종으로 이탈리아에서는 Primitivo(프리미티보)라 부른다. 포도 알이 굵고, 검푸른 색이며 달콤하고 즙이 많다.

15. 럼(Rum) 사탕수수를 원료로 하는 증류주이다. 보통 사탕수수를 짠 즙을 졸여서 설탕의 결정을 분리시킨 후, 남은 당밀을 물로 희석한 후에 발효, 증류해서 만들어진다.

16. 삼해주는 술 빚은 지 12일 간격 또는 36일 간격으로 덧술을 해서 최소한 36일 이상, 또는 108일이 되어서야 술을 뜰 수 있는 장기 저온 발효주로, 그 맛이 순후하고 향이 좋아 춘주(春酒)라고도 한다.

17. 쿰멜(Kummel) 캐러웨이(Caraway)의 향기를 가진 리큐어(liqueur)로 달고 향기 있는 독한 술로 독일 북구가 원산.

18. 코냑(cognac) 프랑스의 코냐크 지방에서 생산되는 포도주를 원료로 한 브랜디.

19. 커피의 3대 원종 아라비카종, 로부스타종, 리베리카종

20. 그라파(Grappa) 포도를 압착 후 나머지를 증류한 것으로 숙성하지 않아서 무색의 이탈리아 브랜디.

21. 칼린스 믹서(Collins Mixer) 물에 레몬, 라임, 설탕, 탄산가스를 혼합한 것이다.

22. 뮤슈(Mousseux) 프랑스어로 "거품이 이는(Sparkling)"의 뜻이며, Vin Mousseux(뱅 무스)는 "거품이 이는 포도주"를 말한다.

23. 홉(Hop) 맥주의 특유한 방향(芳香, Aroma)과 상쾌한 맛을 주고 방부보전의 성능을 가지고 있을 뿐만 아니라 맥주의 거품을 내는 구실도 하기 때문에 홉의 질과 사용법 여하에 따라 그 맥주의 질을 좌우하게 된다.

24. 키르(Kir) 프랑스 부르고뉴 지방의 디종시에서 시장을 지낸 캐농 패릭스 키르가 고안한 칵테일이다. 와인 글라스에 차갑게 식힌 화이트 와인 4온스, 크렘 드 카시스 크림 ⅓온스를 부은 다음 가볍게 젓는다.

25. 1 대시(dash) 비터(Bitter)병으로부터 나오는 양(量)의 표시로써 비터보틀(Bitter Bottle)에서 나오는 양. 0.95mL를 뜻한다.

26. 어니언(Onion)으로 장식하는 대표적인 칵테일은 깁슨(Gibson)이다.

27. 사우던 컴포트(Southern Comfort) 미주리(Missouri)주의 세인트루이스(Saint Louis)에서 만들어진 이 전통적인 미국의 리큐어는 버번과 복숭아로 만든다.

28. 소흥주 중국 중부의 소흥(紹興), 영파, 항주, 상하이 지방을 주산지로 하는 양조주로, 양조법에 의해 임반주, 탄반주(단한주), 가반주, 선양주로 오래될수록 고급주이다.

29. 테루아(terroir) 포도가 자라는 데 영향을 주는 지리적인 요소, 기후적인 요소, 포도재배법 등을 모두 포괄하는 단어이다.

30. 템프라니요(Tempranillo) 스페인 리오하 와인을 만드는 주요 적포도 품종. 주로 스페인 리오하 지방에서 재배되어 그르나쉬(Grenache) 품종과 블렌딩된다. 척박한 환경에서도 잘 자라며, 수확이 빠른 품종이다.

31. 네그로니(Negroni) 이탈리아의 카밀로 네그로니 백작의 성이다. 백작이 즐겼던 식전주 드라이 진, 캄파리, 스위트 베르무트를 넣어 만든 칵테일이다.

32. 맨해튼(Manhattan) 위스키를 베이스로 하여 만든 칵테일로 칵테일의 여왕'이라고도 부른다. 용량이 적은 6oz(180mL) 미만의 칵테일 글라스에 제공되는 음료로 쇼트 드링크(Short drink)에 속한다.

33. 깁슨(Gibson) 진 베이스의 우아한 분위기가 나는 마티니와 비슷한 종류의 칵테일.

34. 빈 카드(Bin Card) 음료 입고와 출고에 따른 재고 기록 카드로서 품목의 내력이 기록되어 있으며 창고 또는 물건이 비치되어 있는 장소에 비치한다.

35. 소믈리에(Sommelier) 포도주를 전문적으로 서비스하는 사람 또는 그 직종. 이밖에도 와인리스트를 작성하고, 와인의 구매와 저장을 담당한다.

36. 준벅(June Bug) 우리나라 부산에 있는 티지아이프라이데이(TGIF)에서 만들어져 전 세계적으로 인기를 얻은 칵테일이다. 재료는 멜론리큐어, 코코넛럼, 바나나리큐어, 스윗&사워믹스, 파인애플 주스가 사용된다.

37. 스토퍼(Stopper) 마시다 남은 샴페인을 탄산가스가 누출되지 않도록 보존하는 역할을 한다.

38. 표준 제조법(Standard recipe) 소요되는 모든 혼합물 성분의 양과 원가, 만드는 방법, 사용하는 글라스 등을 기술한 표준 주조표를 말한다. 즉 다양한 맛을 낼 수는 없다.

39. 푸스 카페(Pousse Cafe) 술의 비중을 이용하여 리큐어, 증류주, 시럽 등을 푸스 카페 글라스에 층층이 쌓아서 만드는 것을 말하며, 비중이 무거운 리큐어 종류를 아래쪽으로 가벼운 증류주를 위쪽으로 쌓는다.

40. 피즈(Fizz) 레몬주스, 소다, 설탕, 얼음을 넣어서 만든 음료수로 혼합이 어려운 재료는 쉐이커(Shaker)로 혼합을 한다. 단 소다수는 제외.

41. 코스터(Coaster) 컵 밑에 받치는 깔판, 일명 글라스 메트(Mat) 혹은 텀블러 매트(Tumbler Mat) 라고도 한다.

42. 술의 비중의 차이가 큰 경우에는 플로팅(Floating) 기법을 사용한다.

43. 아페리티프 칵테일(Aperitif Cocktail) 식욕을 증진시키기 위해 식전에 마시는 술로서, 마티니와 맨하탄이 대표적인 칵테일이다.

44. 주장 원가 3요소 인건비, 재료비, 주장경비

45. 와인쿨러(Wine cooler) 와인 냉각기(器). 포도주를 병째 차게 하는 용기(容器)

46. 블렌디드(Blended) 여러 종류의 원주와 정류 알코올을 섞어 만든 주류를 뜻한다.

47. 와인을 따를 때는 레드와인의 경우 2/3정도, 화이트와 로제와인은 1/2정도 따르는 것이 좋다.

48. 와인 글라스(Wine glass)는 와인의 색깔을 즐기기 위해서 글라스가 무색투명해야 하며 그 두께는 얇을수록 좋다. 예쁜 색깔을 넣은 글라스나 아름다운 무늬를 넣은 것은 이와 같은 이유로 바람직한 것은 못된다.

49. 1 Jigger = 45mL

50. 빈(bin) 주류 저장소에 술병을 넣어 놓는 장소

51. 토니 포트(Tawny port) 포르투갈의 포트(Port)와인이 우리에게 잘 알려진 주정강화 와인이다.

52. Quite often

53. Cubed ice

54. 팬트리(pantry) 손님에게 식사를 배부하기 위해 준비하는 곳으로 배선대·식기 선반·싱크대 등이 설치되어 있다.

55. 모젤(Mosel) 독일에서 생산되는 유명한 백포도주의 명
　산지

56. 아마레또(Amaretto) 살구씨를 물에 담가 증류시키
　고 Almond(아몬드)와 비슷한 향의 Essence를 만들어
　Spirits에 혼합하고 숙성해서 Syrup을 첨가한다.

57. Olive

58. 스카치 온더락 주세요.

59. Medium rare, please

60. so

2014년 제5회 조주기능사 필기시험 기출문제

분야		자격 종목		수험 번호		이름	

1. 녹차의 대표적인 성분 중 15% 내외로 함유되어 있는 가용성 성분은?

① 카페인　　　　② 비타민

③ 카테킨　　　　④ 사포닌

2. 다음 중 증류주가 아닌 것은?

① 소주　　　　② 럼주

③ 위스키　　　　④ 진

3. 다음 중 싱글 몰트 위스키가 아닌 것은?

① 글렌모렌지(Glenmorangie)

② 더 글렌리벳(The Glenlivet)

③ 글렌피딕(Glenfiddich)

④ 씨그램 브이오(Seagram's V.O)

4. 다음 중 나머지 셋과 성격이 다른 것은?

A. Cherry brandy　　B. Peach brandy
C. Hennessy brandy　　D. Apricot brandy

① A　　　　② B

③ C　　　　④ D

5. 효모의 생육조건이 아닌 것은?

① 적정 영양소　　　　② 적정 온도

③ 적정 pH　　　　④ 적정 알코올

6. 헤네시(Henney)사에서 브랜디 등급을 처음 사용한 때는?

① 1763　　　　② 1765

③ 1863　　　　④ 1865

7. 다음 중 음료에 대한 설명이 틀린 것은?

① 에비앙생수는 프랑스의 천연광천수이다.

② 페리에생수는 프랑스의 탄산수이다.

③ 비시생수는 프랑스 비시의 탄산수이다.

④ 셀쳐생수는 프랑스의 천연광천수이다.

8. 산지별로 분류한 세계 4대 위스키가 아닌 것은?

① American whiskey　　② Japanese whisky

③ Scotch whisky　　④ Canadian whisky

9. 다음에서 설명하는 전통주는?

- 원료는 쌀이며 혼성주에 속한다.
- 약주에 소주를 섞어 빚는다.
- 무더운 여름을 탈 없이 날 수 있는 술이라는 뜻에서 그 이름이 유래되었다.

① 과하주　　　　② 백세주

③ 두견주　　　　④ 문배주

10. 각 나라별 와인등급 중 가장 높은 등급이 아닌 것은?

① 프랑스 V.O.Q.S　　② 이탈리아 D.O.C.G

③ 독일 Q.m.p　　④ 스페인 D.O.C

11. Fermented Liquor에 속하는 술은?

① Chartreuse   ② Gin

③ Campari   ④ Wine

12. 탄산수에 키니네, 레몬, 라임 등의 농축액과 당분을 넣어 만든 강장제 음료는?

① 진저 비어(Ginger Beer)

② 진저엘(Ginger ale)

③ 칼린스 믹스(Collins Mix)

④ 토닉 워터(Tonic water)

13. 탄산음료의 종류가 아닌 것은?

① Tonic water   ② Soda water

③ Collins mixer   ④ Evian water

14. 증류주 1quart의 용량과 가장 거리가 먼 것은?

① 750mL   ② 1000mL

③ 32oz   ④ 4 cup

15. 증류주에 대한 설명으로 틀린 것은?

① Gin은 곡물을 발효, 증류한 주정에 두송나무 열매를 첨가한 것이다.

② Tequila는 멕시코 원주민들이 즐겨 마시는 풀케(Pulque)를 증류 한 것이다.

③ Vodka는 슬라브 민족의 국민주로 캐비어를 곁들여 마시기도 한 다

④ Rum의 주원료는 서인도제도에서 생산되는 자몽(Grapefruit)이다.

16. 양조주의 종류에 속하지 않은 것은?

① Amaretto   ② Lager beer

③ Beaujolais Nouveau   ④ Ice wine

17. 이태리 와인의 주요 생상지가 아닌 것은?

① 토스카나(Toscana)

② 리오하(Rioja)

③ 베네토(Veneto)

④ 피에몬테(Piemonte)

18. 양조주의 제조방법으로 틀린 것은?

① 원료는 곡류나 과실류이다.

② 전분은 당화과정이 필요하다.

③ 효모가 작용하여 알코올을 만든다.

④ 원료가 반드시 당분을 함유할 필요는 없다.

19. 다스카치산 위스키에 히스꽃에서 딴 봉밀과 그 밖에 허브를 넣어 만든 감미 짙은 리큐르로 러스티 네일을 만들 때 사용되는 리큐르는?

① Cointreau   ② Galliano

③ Chartreuse   ④ Drambuie

20. 칼바도스에 대한 설명으로 옳은 것은?

① 스페인의 와인

② 프랑스의 사과브랜디

③ 북유럽의 아쿠아비트

④ 멕시코의 테킬라

21. 증류주에 관한 설명 중 틀린 것은?

① 단식 증류기와 연속식 증류기를 사용한다.

② 높은 알코올 농도를 얻기 위해 과실이나 곡물을 이용하여 만든 양조주를 증류해서 만든다.

③ 양조주를 가열하면서 알코올을 기화시켜 이를 다시 냉각시킨 후 높은 알코올을 얻은 것이다.

④ 연속 증류기를 사용하면 시설비가 저렴하고 맛과 향의 파괴가 적다.

22. 비중이 서로 다른 술을 섞이지 않고 띄워서 여러 가지 색상을 음 미할 수 있는 칵테일은?

① 프라페(Frappe)

② 슬링(Sling)

③ 피즈(Fizz)

④ 푸스카페(Pousse Cafe)

23. 다음 중 종자류 계열이 아닌 혼성주는?

① 티아 마리아   ② 아마레토

③ 쇼콜라 스위스   ④ 갈리아노

24. 감자를 주원료로 해서 만드는 북유럽의 스칸디나비아 술로 유명 한 것은?

① Aquavit   ② Calvados

③ Eau de vie   ④ Grappa

25. 다음 중 맥주의 종류가 아닌 것은?

① Ale   ② Parter

③ Hock   ④ Bock

26. Draft beer 란 무엇인가?

① 효모가 살균되어 저장이 가능한 맥주

② 효모가 살균되지 않아 장기 저장이 불가능한 맥주

③ 제조과정에서 특별히 만든 흑맥주

④ 저장이 가능한 병이나 캔맥주

27. 아로마(Aroma)에 대한 설명 중 틀린 것은?

① 포도의 품종에 따라 맡을 수 있는 와인의 첫 번째 냄새 또는 향기 이다.

② 와인의 발효과정이나 숙성과정 중에 형성되는 여러 가지 복잡 다양한 향기를 말한다.

③ 원료 자체에서 우러나오는 향기이다.

④ 같은 포도품종이라도 토양의 성분, 기후, 재배조건에 따라 차이가 있다.

28. 아라비카종 커피의 특징으로 옳은 것은?

① 병충해에 강하고 관리가 쉽다.

② 생두의 모양이 납작한 타원형이다.

③ 아프리카 콩고가 원산지이다.

④ 표고 600m 이하에서도 잘 자란다.

29. 안동소주에 대한 설명으로 틀린 것은?

① 제조 시 소주를 내릴 때 소주고리를 사용한다.

② 곡식을 물에 불린 후 시루에 쪄 고두밥을 만들고 누룩을 섞어 발효시켜 빚는다.

③ 경상북도 무형문화재로 지정되어 있다.

④ 희석식 소주로써 알코올 농도는 20도이다.

30. 까베르네 소비뇽에 관한 설명 중 틀린 것은?

① 레드 와인 제조에 가장 대표적인 포도 품종이다.

② 프랑스 남부 지방, 호주, 칠레, 미국, 남아프리카에서 재배한다.

③ 부르고뉴 지방의 대표적인 적포도 품종이다.

④ 포도송이가 작고 둥글고 포도 알은 많으며 껍질은 두껍다.

31. 식음료 부분의 직무에 대한 내용으로 틀린 것은?

① Assistant bar manager는 지배인의 부재 시 업무를 대행하여 행 정 및 고객관리의 업무를 수행한다.

② Bar captain은 접객 서비스의 책임자로서 head waiter 또는 super visor라고 불리기도 한다.

③ Bus boy는 각종 기물과 얼음, 비 알코올성 음료를 준비 하는 책임이 있다.

④ Banquet manager는 접객원으로부터 그날의 영업실적을 보고 받고 고객의 식음료비 계산서를 받아 수납 정리한다.

32. Old fashioned의 일반적인 장식용 재료는?

① Slice of lemon

② Wedge of pineapple and cherry

③ Lemon peel twist

④ Slice of orange and cherry

33. 다음 중 칵테일 조주 시 용량이 가장 적은 계량 단위는?

① table spoon   ② pony

③ jigger   ④ dash

34. Grasshopper 칵테일의 조주기법은?

① Float &layer   ② shaking

③ stirring   ④ building

35. 맥주의 저장과 출고에 관한 사항 중 틀린 것은?

① 선입선출의 원칙을 지킨다.

② 맥주는 별도의 유통기한이 없으므로 장기간 보관이 가능하다.

③ 생맥주는 미살균 상태이므로 온도를 2 ~3℃ 로 유지하여야 한다.

④ 생맥주통 속의 압력은 항상 일정하게 유지 되어야 한다.

36. 쉐이커(shaker)를 이용하여 만든 칵테일을 짝지은 것으로 옳은 것은?

㉠ Pink Lady	㉡ Olympic
㉢ Stinger	㉣ Seabreeze
㉤ Bacardi	㉥ Kir

① ㉠, ㉡, ㉤   ② ㉠, ㉣, ㉤

③ ㉡, ㉣, ㉥   ④ ㉠, ㉢, ㉥

37. 다음 중 After dinner cocktail로 가장 적합한 것은?

① Campari Soda   ② Dry Martini

③ Negroni   ④ Pousse Cafe

38. 조주 기구 중 3단으로 구성되어있는 스탠다드 쉐이커(Standard shaker)의 구성으로 틀린 것은?

① 스퀴저(Squeezer)

② 바디(Body)

③ 캡(Cap)

④ 스트레이너(Strainer)

39. Wine serving 방법으로 가장 거리가 먼 것은?

① 코르크의 냄새를 맡아 이상 유무를 확인 후 손님에게 확인하도록 접시 위에 얹어서 보여준다.

② 은은한 향을 음미하도록 와인을 따른 후 한두 방울이 테이블에 떨어지도록 한다.

③ 서비스 적정온도를 유지하고, 상표를 고객에게 확인시킨다.

④ 와인을 따른 후 병 입구에 맺힌 와인이 흘러내리지 않도록 병목 을 돌려서 자연스럽게 들어 올린다.

40. 주로 일품요리를 제공하며 매출을 증대시키고, 고객의 기호와 편의를 도모하기 위해 그날의 특별요리를 제공하는 레스토랑은?

① 다이닝룸(dining room)

② 그릴(grill)

③ 카페테리아(cafeteria)

④ 델리카트슨(delicatessen)

41. 서비스 종사원이 사용하는 타월로 arm towel 혹은 hand towel이 라고도 하는 것은?

① table cloth   ② under cloth

③ napkin   ④ service towel

42. 술병 입구에 부착하여 술을 따르고 술의 커팅(Cutting)을 용이하게 하고 손실을 없애기 위해 사용하는 기구는?

① Squeezer
② Strainer
③ Pourer
④ Jigger

43. 일반적으로 구매 청구서 양식에 포함되는 내용으로 틀린 것은?

① 필요한 아이템 명과 필요한 수량
② 주문한 아이템이 입고되어야 하는 날짜
③ 구매를 요구하는 부서
④ 구분 계산서의 기준

44. 다음과 같은 재료로 만들어지는 드링크(Drink)의 종류는?

· Any liquor + soft drink + ice

① Martini
② Manhattan
③ Sour Cocktail
④ Highball

45. 정찬코스에서 Hors d'oeuvre 또는 soup 대신에 마시는 우아하고 자양분이 많은 칵테일은?

① After dinner cocktail
② Before dinner cocktail
③ Club cocktail
④ Night cap cocktail

46. 바에서 사용하는 House brand의 의미는?

① 널리 알려진 술의 종류
② 지정 주문이 아닐 때 쓰는 술의 종류
③ 상품(上品)에 해당하는 술의 종류
④ 조리용으로 사용하는 술의 종류

47. Appetizer course에 가장 적합한 술은?

① Sherry wine
② Vodka
③ Canadian whisky
④ Brandy

48. 올드 패션(Old fashioned)이나 온더락스(On the rocks)를 마실 때 사용되는 글라스(Glass)의 용량으로 가장 적합한 것은?

① 1 ~ 2 온스
② 3 ~ 4 온스
③ 4 ~ 6 온스
④ 6 ~ 8 온스

49. 잔(Glass) 가장자리에 소금, 설탕을 묻힐 때 빠르고 간편하게 사용 할 수 있는 칵테일 기구는?

① 글라스 리머(Glass rimmer)
② 디켄터(Decanter)
③ 푸어러(Pourer)
④ 코스터(Coaster)

50. 파인애플 주스가 사용되지 않는 칵테일은?

① Mai-Tai
② Pina Colada
③ Paradise
④ Blue Hawaiian

51. Which one is the classical French liqueur of aperitifs?

① Dubonnet
② Sherry
③ Mosell
④ Campari

52. Which of the following is correct in the blank?

W : Good evening, gentleman. Are you ready to order?
G1 : Sure. A double whisky on the rocks for me.
G2 : _____
W : Two whiskies with ice, yes, sir.
G1 : Then I'll have the shellfish cocktail.
G2 : And I'll have the curried prawns. Not too hot, are they?
W : No, sir. Quite mild, really.

① The same again?
② Make that two.
③ One for the road.
④ Another round of the same.

53. 다음 ( ) 안에 들어갈 가장 적당한 표현은?

· If you ( ) him, he will help you.

① asked
② will ask
③ ask
④ be ask

54. 다음 물음에 가장 적합한 것은?

· What kind of bourbon whisky do you have?

① Ballentine's
② J&B
③ Jim Beam
④ Cutty Sark

55. 다음 밑줄 친 내용의 뜻으로 적합한 것은?

· You must make a reservation in advance.

① 미리
② 나중에
③ 원래
④ 당장

56. What is the liqueur made by Scotch whisky, honey, herb?

① Grand Manier
② Sambuca
③ Drambuie
④ Amaretto

57. 다음 질문의 대답으로 가장 적절한 것은?

A : Who's your favorite singer?
B :

① I like jazz the best.
② I guess I'd have to say Elton John.
③ I don't really like to sing.
④ I like opera music.

58. 'Can you charge what I've just had to my room number 310?' 의 뜻은?

① 내방 310호로 주문한 것을 배달해 줄 수 있습니까?
② 내방 310호로 거스름돈을 가져다 줄 수 있습니까?
③ 내방 310호로 담당자를 보내 주시겠습니까?
④ 내방 310호로 방금 마신 것의 비용을 달아놓아 주시겠습니까?

59. When do you usually serve cognac?

① Before the meal
② After meal
③ During the meal
④ With the soup

60. Choose the best answer for the blank.

· What is the 'sommelier' means? ( )

① head waiter
② head bartender
③ wine waiter
④ chef

정답 및 해설

| 2014년 제5회 조주기능사 필기시험 기출문제 |

1	2	3	4	5	6	7	8	9	10
3	2	4	3	4	4	4	2	1	1
11	12	13	14	15	16	17	18	19	20
4	4	4	1	4	1	2	4	4	2
21	22	23	24	25	26	27	28	29	30
4	4	4	1	3	2	2	2	4	3
31	32	33	34	35	36	37	38	39	40
4	4	4	2	2	1	4	1	2	2
41	42	43	44	45	46	47	48	49	50
4	3	4	4	4	2	1	4	1	3
51	52	53	54	55	56	57	58	59	60
1	2	3	3	1	3	2	4	2	3

1. 카테킨(10~18%)

2. 문제출제 오류

3. 씨그램 브이오(Seagram's V.O): 1924년 몬트리올에서 창업하여 초기부터 호밀과 옥수수로 만들어진 6년 숙성의 블렌디드 위스키이다.

4. 헤네시 브랜디(Hennessy brandy): 1765년, 아일랜드 출신인 리챠드 헤네시에 의해서 코냑으로 창업되었으며, 세계 코냑시장에서 정상의 지위를 차지하고 있다.

5. 효모의 생육조건: 적정 영양소, 적정 온도, 적정 pH

6. 1865년, 4대인 모리스 헤네시가 그때까지 행한 통판매에서 자기 회사의 라벨을 붙인 병 형태의 출하를 코냑업자로서 처음으로 채용했다.동시에 ☆☆☆마크를 채용해서 숙성 연도를 표시했다. 그는 또한 1870년에 XO라는 표시도 고안해서 라벨에 처음으로 채용했다.

7. 셀쳐(Seltzer): 독일에서 나는 광천수

8. 재패니즈 위스키(Japanese whisky): 세계 5대 위스키 생산국가에 속한다.

9. 과하주: 약주에 소주를 섞어 빚는 혼양주. 무더운 여름을 탈 없이 날 수 있는 술이라는 뜻에서 얻은 이름이다.

10. 프랑스 와인 등급: AOC(최상급)-VOQS(상급)-Vin de Pays-Vin de Table

11. 양조주(Fermented Liqour): 와인(Wine)

12. 토닉 워터(Tonic water): 영국에서 처음 개발한 무색 투명한 음료로서 레몬, 오렌지, 라임, 키니네(규 군피의 엑기스)의 껍질 등의 엑기스에다 당분을 배합하여 만든 것이다.

13. 에비앙 워터(Evian water): 에비앙수 프랑스 오토사봐, 레맘 호안(湖岸)의 마을 에비앙 레 반(Evian les bains)의 미네랄 워터. 레반은 광천장이라는 의미이다.

14. 1quart: 32oz, 960mL, 4cup

15. 럼(Rum): 당밀이나 사탕수수의 즙을 발효시켜서 증류한 술이다.

16. 아마레또(Amaretto): 살구씨를 물에 담가 증류시키고 Almond(아몬드)와 비슷한 향의 Essence를 만들어 Spirits에 혼합하고 숙성해서 Syrup을 첨가한다.

17. 리오하(Rioja): 스페인을 대표하는 고급 와인 생산지

18. 당분은 발효과정에서 효모(이스트)에 의해 알코올로 변한다.

19. 드람브이(Drambuie): 스코틀랜드산의 유명한 리큐어로 스카치위스키를 기본주로 해서 Heney, Herbs를 가하여 만든 술이다.

20. 칼바도스(Calvados): 프랑스 바스노르망디 주(레지옹 : Region)의 칼바도스 데파르트망(Department)에서 생산한 사과를 원료로 하여 제조한 브랜디.

21. 연속식증류기를 사용하면 초기 시설비가 많이 들고 맛과 향의 파괴가 상대적으로 많아진다.

22. 푸스카페(Pousse Cafe): 술의 비중을 이용하여 리큐르, 증류주, 시럽 등을 푸스 카페 글라스에 층층이 쌓아서 만드는 것을 말하며, 비중이 무거운 리큐르 종류를 아래쪽으로 가벼운 증류주를 윗쪽으로 쌓는다.

23. 갈리아노(Galliano): 알프스와 지중해의 열대지방에서 생산되는 40여 종의 향료를 배합하여 만든 노란색의 이탈리아산의 Liqueur{밀라노(Milano)지방에서 생산되는 오렌지와 바닐라 향이 강하여 독특하고 길쭉한 병에 담긴 리큐르(Liqueur)}를 말한다.

24. 아쿠아비트(Aquavit): "생명수"를 뜻하며 감자를 주원료로 하는 증류주로, 북구 제국에서 만들어지고 있다. 노르웨이에서는 Aquavit, 덴마크에서는 Akvavit, 스웨덴에서는 양쪽 표기를 모두 이용하고 있다.

25. 독일의 라인 와인(Hock : Rhine Wine)을 영어를 사용하는 나라에서 지칭하는 말로 Hochheim(호흐하임)이라는 마을 명에서 유래되었다.

26. 드래프트 비어(Draft Beer): "저온 살균처리가 안된 맥주, 즉 생맥주(Draft Beer)"를 말한다.

27. 부케(Bouquet): 와인 생산과정이나 숙성과정에 의해 생기는 와인의 냄새 혹은 향기를 말한다.

28. 원산지가 에티오피아인 아라비카는 해발 600~2,000m의 고지대에서 주로 재배된다. 기후나 토양, 병충해에 민감하고 모양은 평평하고 길이가 길며 가운데 새겨진 고랑이 굽어 있다.

29. 안동소주: 경상북도 안동지방의 명가에서 전승되어온 증류식 소주

30. 프랑스 보르도 지방의 메독이 원산지인 포도 품종.

31. 고객의 식음료비 계산서를 받아 수납 정리하는 것은 연회 매니저(Barquet manager)의 직무가 아니다.

32. 올드패션드(Old fashioned) 칵테일의 일반적인 장식은 슬라이스 오렌지&체리(Slice of orange and cherry)이다.

33. dash는 5~6방울을 뜻한다.

34. 그래스호퍼(Grasshopper): 크렘 드 망트와 크렘 드 카카오를 베이스로 사용한 쉐이킹(shaking) 기법을 활용한 달콤한 맛이 나는 칵테일.

35. 맥주의 유통기한은 기본적으로 1년이고 생맥주는 6개월이다.

36. Pink Lady, Olympic, Bacardi

37. 푸스카페(Pousse Cafe): 술의 비중을 이용하여 서로 섞이지 않도록 띄운 칵테일로 단맛을 지닌 식후주 칵테일이다.

38. 스퀴저(Squeezer): 과일의 생즙을 짜는 기구이다.

39. 와인을 서비스시 테이블에 흘리지 않도록 한다.

40. 그릴(Grill): 호텔내에서 최고급의 일품 요리를 서비스하는 레스토랑이란 뜻

41. 서비스 타월(Service Towel) 호텔에서 Coffee Shop, Bar 종업원들이 사용하는 팔에 걸치는 수건으로 Arm Towel이라고도 말한다.

42. 포우러(Pourer)주류를 따를 때 흘리지 않도록 병에 끼워서 사용한다.

43. 구분 계산서의 기준은 구매 청구서 양식에 포함되지 않는다.

44. 하이 볼(High Ball): 칵테일의 일종으로 기주에 각종 부재료를 섞어서 High Ball Glass로 제공하는 모든 음료.

45. 클럽 칵테일(club cocktail): 수프대신 마시는 술

46. 하우스 브랜드(House brand): 지정 주문이 아닐 때 쓰는 술의 종류

47. 발효가 끝난 일반 와인에 브랜디를 첨가하여 알코올 도수를 높인 스페인 와인으로 포트와인(Port Wine)과 함께 세계 2대 주정 강화 와인이다. 비교적 드라이하여 식사 전에 식욕을 촉진시켜 주는 식전와인(Aperitif Wine)으로 주로 이용된다.

48. 올드패션드 글라스(old fashioned glass): 6~8온스(180~240mL)의 용량으로 록글라스(rock glass)라고도 불린다.

49. 글라스 리머(Glass rimmer): 잔의 가장자리에 소금이나 설탕을 묻히는 도구

50. 파라다이스 칵테일(Paradise Cocktail): 드라이진, 애프리코트 브랜디, 오렌지 주스

51. 듀보네(Dubonnet): 키나수의 껍질 등으로 향기를 낸 프랑스의 와인이다. 세계적으로 유명한 식전 포도주로써 약간 단맛의 떫은맛이 나는 적색 포도주를 말한다.

52. Make that two.

53. ask

54. 짐 빔(Jim Beam): 버번 위스키의 브랜드. 1795년 독일계 미국인 제이콥 빔(Jacob Beam)이 주조법을 완성했다. 양조장은 미국 켄터키주의 클러먼트(Clermont)에 있다.

55. 미리

56. 드람브이(Drambuie): 스코틀랜드산의 유명한 리큐어로 스카치 위스키를 기본주로 해서 Heney, Herbs를 가하여 만든 술이다.

57. I guess I'd have to say Elton John.

58. 내방 310호로 방금 마신 것의 비용을 달아놓아 주시겠습니까?

59. After meal

60. wine waiter

시 험 직 종

* 답안카드 작성(표기)은 반드시 "컴퓨터용 흑색 수성 사인펜" 만을 사용합니다.
* 답란 수정은 OMR 답안지를 교체하거나 "수정테이프" 만을 사용하여 수정합니다.
* 답안카드는 반드시 시험시간 내에 작성을 완료합니다(시험 종료 후 작성 시 해당 교시 "0"점 처리).

국 가 기 술 자 격 검 정 답 안 지

수험자가 기재
◈ 문제지 형별(형)
✍ 우측 문제지 형별은 마킹

문제지 형별 Ⓐ Ⓑ

성 명

수 험 번 호

감독위원 확인
㊞ / ㊞

답안카드 작성시 유의사항

응시자 유의사항

○ 답안카드 작성(표기)은 반드시 "컴퓨터용 흑색 수성 사인펜"만을 사용하여야 합니다.
○ 연필, 볼펜 등의 사용 시 해당 문제가 "0점" 처리될 수 있습니다.

1. 필기구 : 컴퓨터용 흑색 수성 사인펜만을 사용하여야 합니다.
2. 시험 전 기재·표기 사항 : 교시, 문제유형, 성명, 응시번호
   - **교시**란에는 해당 교시를 표기해야 합니다.
   - **문제지 형별**란에는 배부 받은 문제지의 유형을 확인하고 표기해야 합니다.
   - **성명**란에는 수험자의 성명을 바르게 기재해야 합니다.
   - **수험번호**란에는 숫자로 기재하고 해당란에 표기해야 합니다.
   - **답란**은 "●"와 같이 완전하게 표기해야 합니다 (바르지 못한 표기(⊗①∅◑))를 하였을 경우에는 불이익을 받을 수 있음).
3. 답란의 수정방법 : 답을 잘못 표기하였을 경우에는 OMR답안지를 교체하여 작성하거나, 수정테이프만을 사용하여 답란을 수정합니다.
   - 수정테이프를 사용하여 천천히 지우고 수정테이프가 떨어지지 않게 손으로 눌러주어야 합니다.
   - 불완전한 수정 처리로 인해 발생하는 책임은 응시자에게 있으니 주의합니다.
4. 답안카드는 훼손하거나 구겨지지 않도록 주의하며, 특히 답안카드 하단의 (■■■■■)를 절대로 칼로 긁거나 훼손해서는 안됩니다.

[이 답안지는 연습용 모의 답안지입니다]

시 험 직 종

* 답안카드 작성(표기)은 반드시 "컴퓨터용 흑색 수성 사인펜" 만을 사용합니다.
* 답란 수정은 OMR 답안지를 교체하거나 "수정테이프" 만을 사용하여 수정합니다.
* 답안카드는 반드시 시험시간 내에 작성을 완료합니다(시험 종료 후 작성 시 해당 교시 "0"점 처리).

국 가 기 술 자 격 검 정 답 안 지

수험자가 기재
◈ 문제지 형별(형)
✍ 우측 문제지 형별은 마킹

문제지 형별 Ⓐ Ⓑ

성 명

수 험 번 호

감독위원 확인
㊞ / ㊞

답안카드 작성시 유의사항

응시자 유의사항

○ 답안카드 작성(표기)은 반드시 "컴퓨터용 흑색 수성 사인펜"만을 사용하여야 합니다.
○ 연필, 볼펜 등의 사용 시 해당 문제가 "0점" 처리될 수 있습니다.

1. 필기구 : 컴퓨터용 흑색 수성 사인펜만을 사용하여야 합니다.
2. 시험 전 기재·표기 사항 : 교시, 문제유형, 성명, 응시번호
   - **교시**란에는 해당 교시를 표기해야 합니다.
   - **문제지 형별**란에는 배부 받은 문제지의 유형을 확인하고 표기해야 합니다.
   - **성명**란에는 수험자의 성명을 바르게 기재해야 합니다.
   - **수험번호**란에는 숫자로 기재하고 해당란에 표기해야 합니다.
   - **답란**은 "●"와 같이 완전하게 표기해야 합니다 (바르지 못한 표기(⊗①∅◑))를 하였을 경우에는 불이익을 받을 수 있음).
3. 답란의 수정방법 : 답을 잘못 표기하였을 경우에는 OMR답안지를 교체하여 작성하거나, 수정테이프만을 사용하여 답란을 수정합니다.
   - 수정테이프를 사용하여 천천히 지우고 수정테이프가 떨어지지 않게 손으로 눌러주어야 합니다.
   - 불완전한 수정 처리로 인해 발생하는 책임은 응시자에게 있으니 주의합니다.
4. 답안카드는 훼손하거나 구겨지지 않도록 주의하며, 특히 답안카드 하단의 (■■■■■)를 절대로 칼로 긁거나 훼손해서는 안됩니다.

[이 답안지는 연습용 모의 답안지입니다